Mami Takada przyjechała z Japonii, chce studiować malarstwo na Akademii Sztuk Pięknych w Krakowie.

*Mami Takada comes from Japan and wants to study painting at the Academy of Fine Arts in Cracow.*

Angela Brown jest Angielką, a chce mówić po polsku, ponieważ jej rodzina pochodzi z Polski.

*Angela Brown is English but wants to speak Polish since her family come from Poland.*

Uwe Stein to niemiecki biznesmen, potrzebuje polskiego ze względów zawodowych.

*Uwe Stein is a German businessman who needs Polish for professional reasons.*

Javier Perez jest z Argentyny. Polski to dla niego po części hobby, a po części szukanie nowego pomysłu na życie.

*Javier Perez comes from Argentina. For him, Polish is both a hobby and a way of finding a new idea for life.*

Tom Peterson jest z USA. Uczy się polskiego, bo pisze doktorat o upadku komunizmu. Jego dziewczyna jest Polką.

*Tom Peterson comes from the USA. He is learning Polish while working on a doctoral thesis on the fall of communism. His girlfriend is Polish.*

Anna **Stelmach**

# CZYTAJ

*krok po kroku*

C2
C1
B2
B1
A2
**A1**

*proste historie*

1

Szkoła Języka Polskiego
**Glossa**

# jak korzystać
## *how to use*

### TEKSTY
*TEXTS*

**10 tekstów podzielonych na 5 modułów**
*10 texts divided into 5 modules*

### ĆWICZENIA
*EXERCISES*

**Ćwiczenia leksykalno-gramatyczne do każdego tekstu**
*Lexical and grammatical exercises accompanying each text*

### SŁOWNICZEK
*GLOSSARY*

**Słowniczek polsko-angielski do każdego modułu**
*Polish-English glossary for each module*

### SŁOWNIK A-Ż
*A-Ż GLOSSARY*

**Alfabetyczny słownik polsko-angielski**
*Alphabetical Polish-English glossary*

### NAGRANIA
*RECORDINGS* ⬇

**Nagrania tekstów do pobrania na e-polish.eu/czytaj**
*Recorded texts to be downloaded from e-polish.eu/czytaj*

> KOD
> *CODE* AEW3-R2N1-4Q9B

Skorzystaj z wersji multimedialnej słownika poszerzonej o tabele odmian:
*Use the multimedia version of the glossary, extended with inflection tables:*

**online-polish-dictionary.com**

---

**Tłumaczenia trudniejszych słów i zwrotów na marginesie**
*Translations of more advanced words and phrases in the margin*

| | |
|---|---|
| jeszcze raz *once again* | – Przepraszam, gdzie jest policja? – Tom pyta **jeszcze raz**. Uff, jeden kolega reaguje: <br> – Przepraszam, nie rozumiem. |
| znowu *again* | – Gdzie tu jest policja? – pyta **znowu** Tom. – Mam problem. Nie mam paszportu! Kolega jeszcze raz mówi: <br> – Przepraszam, nie rozumiem. Proszę powtórzyć. Tom jest zdenerwowany: <br> – Policja! Komisariat! Agent zero zero siedem! |
| słowo *word* | – Rozumiem **słowo** „policja", nie rozumiem „gdzie jest"? Co to znaczy „gdzie"? – pyta kolega. |

**Urozmaicona forma ćwiczeń**
*Varied form of exercises*

### ćwiczenia
*exercises* ①

 **1** Proszę napisać liczebniki cyframi.
*Write the numbers.*

1. James Bond — agent *007*
2. model telefonu — iPhone
3. adres komisariatu — ul. Królewska
4. czas — _____ . _____ minut

**Klucz odpowiedzi: s. 69**
*Answer key: p. 69*

**Tematyczne zestawienie słownictwa według części mowy dodatkowo pogrupowane w logiczne bloki**
*Thematic summary of vocabulary presented by part of speech and additionally grouped into logical blocks*

### słowniczek
*glossary* ① ②

| | polski | English | your notes |
|---|---|---|---|
| pytanie *question* | co? | what? | |
| | gdzie? | where? | |
| | jak? | how? | |
| rzeczownik *noun* | imię | name | |
| | nazwisko | surname | |
| | kolega | male friend | |
| | koleżanka | female friend | |

**W rubryce *your notes* miejsce na przykłady i notatki**
*Space for your own examples and notes in your notes column*

**Słownik zawiera wszystkie ważne słówka z rozdziałów 1-5 podręcznika „POLSKI krok po kroku" 1**
*The glossary contains all important words from chapters 1-5 of the textbook 'POLSKI krok po kroku'*

CZYTAJ

# spis treści
## *contents*

| | | KOMUNIKACJA | SŁOWNICTWO | GRAMATYKA | |
|---|---|---|---|---|---|
| 1 | **Makabra** | • powitania/ | • podstawowe | • alfabet | 8 |
| | ćwiczenia *exercises* | pożegnania | zwroty | • liczebniki 0-10 | 10 |
| | | • przedstawianie | | | |
| 2 | **Paszport** | się | | | 12 |
| | ćwiczenia *exercises* | | | | 14 |
| | słowniczek *glossary* | | | | 16 |
| 3 | **Warsztat** | • *Co słychać?* | • dane osobowe | • zaimki | 18 |
| | ćwiczenia *exercises* | • *Skąd jesteś?* | | osobowe | 20 |
| | | • *Gdzie* | | • koniugacja | |
| 4 | **Patryk** | *mieszkasz?* | | -m, -sz | 22 |
| | ćwiczenia *exercises* | | | • czasownik *być* | 24 |
| | słowniczek *glossary* | | | • liczebniki 11-29 | 26 |
| 5 | **Karton** | • *Kto to jest?* | • rzeczy w klasie | • mianownik l. poj. | 28 |
| | ćwiczenia *exercises* | • *Co to jest?* | • podstawowe | rzeczowników | 30 |
| | | • *Czy to jest...?* | przymiotniki | i przymiotników | |
| 6 | **Bistro** | | • kolory | • *ten, ta, to* | 32 |
| | ćwiczenia *exercises* | | | | 34 |
| | słowniczek *glossary* | | | | 36 |
| 7 | **Japonka** | • prezentacja | • opis osoby | • koniugacja -ę, | 38 |
| | ćwiczenia *exercises* | siebie i innych | • przymiotniki | -isz/-ysz | 40 |
| 8 | **Balkon** | | | | 42 |
| | ćwiczenia *exercises* | | | | 44 |
| | słowniczek *glossary* | | | | 46 |
| 9 | **Torba** | • *Kim jesteś?* | • zawody | • narzędnik l. poj. | 48 |
| | ćwiczenia *exercises* | • *Czym się* | • zainteresowania | • liczebniki | 50 |
| | | *interesujesz?* | | 20-100 | |
| 10 | **Amadeusz** | • *Ile masz lat?* | | • formy: *rok, lat,* | 52 |
| | ćwiczenia *exercises* | | | *lata* | 54 |
| | słowniczek *glossary* | | | | 56 |
| | słownik A-Ż *A-Ż glossary* | | | | 58 |
| | klucz odpowiedzi *answer key* | | | | 69 |

# DLA NAUCZYCIELI

**Seria „CZYTAJ krok po kroku" powstała z myślą o tych, dla których lektura to nie tylko odkrywanie nowych rzeczy, ale też przyjemność i niezbędny element codzienności.**

Czytanie w języku obcym od samego początku nauki ma wspaniały wpływ na motywację. Nic nie daje takiej satysfakcji, jak moment, w którym można wreszcie powiedzieć „rozumiem!". Uczący się języka polskiego często szukają na własną rękę – korzystają z zasobów internetu albo próbują czytać książki dla dzieci. Tymczasem trafiają na tak wiele trudnych słów i struktur gramatycznych, że szybko się zniechęcają i frustrują.

„CZYTAJ krok po kroku" zostało pomyślane jako zbiór materiałów uzupełniających zarówno do pracy samodzielnej, jak i do wykorzystania na zajęciach grupowych. Można je traktować jako powtórzenie czy też utrwalenie materiału, jako zadanie domowe bądź inspirację do gier, dyskusji, scenek itp. Zawartość leksykalna i gramatyczna pierwszych pięciu tomików serii „CZYTAJ krok po kroku" pokrywa się niemal z każdym podręcznikiem do nauki języka polskiego dla początkujących na poziomie A1, jednak najściślej jest powiązana z materiałami serii „POLSKI krok po kroku".

- **Każdy tomik zawiera 5 modułów po 2 teksty**, po których następują ćwiczenia leksykalno-gramatyczne sprawdzające umiejętność czytania ze zrozumieniem (klucz odpowiedzi na końcu książki).

- **Zawartość leksykalno-gramatyczna jednego modułu odpowiada jednemu rozdziałowi podręcznika „POLSKI krok po kroku 1"**, a porządek numeryczny jest zgodny z podręcznikiem (patrz: spis treści, s. 5).

- Proste, pełne humoru historie uzupełniają wiedzę o znanych już i lubianych bohaterach serii, a także wprowadzają nowe, barwne postacie.

- **Tłumaczenia trudniejszych słów i zwrotów znajdują się na marginesie, a każdy moduł zakończony jest słowniczkiem tematycznym** zawierającym leksykę do opanowania na tym etapie nauki; dodatkowo na końcu umieszczono słownik polsko-angielski zbierający materiał leksykalny z całego tomiku w porządku alfabetycznym.

- Słowniczki tematyczne zamykające poszczególne moduły są skonstruowane tak, aby maksymalnie ułatwić zapamiętanie nowo poznanego słownictwa, a dodatkowa kolumna na notatki pozwala na sprawdzenie, czy student dobrze zrozumiał słowo i umie poprawnie użyć go w kontekście.

- Teksty można czytać w dowolnej kolejności – każdy jest zamkniętą całością, jednak zaleca się czytanie ich krok po kroku ;-)

- **Pliki z nagraniami (do pobrania na e-polish.eu/czytaj)** pozwalają dodatkowo na ćwiczenie wymowy, intonacji oraz doskonalenie sprawności rozumienia ze słuchu.

Dalsze losy bohaterów można będzie śledzić w kolejnych tomach wchodzących stopniowo na coraz wyższy poziom, wymagający od czytelnika znajomości bardziej zaawansowanych struktur gramatycznych i bogatszego słownictwa.

Mamy nadzieję, że nasza nowa seria spodoba się Państwu i okaże się przydatna na zajęciach.

*Autorka i Wydawca*

## FOR STUDENTS

**Are you starting to learn Polish? Do you like reading, but don't know what book to go for?** Discover the stories from the everyday life of the popular characters introduced in the series 'POLSKI krok po kroku' – Mami, Javier, Angela, Tom and Uwe – as well as the Maj and Nowak families. See how their relationships intertwine. Accompany them to learn the Polish language, discover Poland, explore the similarities and differences between the cultures of different countries, and simply have fun!

- **In each book, you will find 5 modules with 2 stories** as well as exercises consolidating the grammatical and lexical material from a given text (answer key included at the end of the book).

- No matter what textbook you use on a daily basis – the table of contents will tell you what grammatical and lexical material you can consolidate by reading a given module. If you learn using books from the series 'POLSKI krok po kroku', it is worth knowing that each module corresponds to one lesson from Textbook 1.

- **Texts are written in a very simple, but naturally-sounding language.** You can read them in any order – each one contains a full story. However, we recommend reading them 'krok po kroku' – step by step ;-)

- **You will find translations of more advanced words and phrases in the margin**, and so your reading will not be disrupted.

- **After each module you will find a glossary containing the lexical material you should master at this level.** It will facilitate learning and revision of vocabulary. You will also find some space for your notes (ask your teacher to assess your ability to use the newly acquired vocabulary correctly in context).

- **You can also use the Polish-English glossary at the end of the book**, where the lexical material from the whole book has been collected in alphabetical order.

- By listening to the recordings, you can improve your listening skills or practise pronunciation and intonation on your own.

If you like these simple stories, follow the ups and downs of their characters in subsequent volumes and move on to higher levels together with them!

NAGRANIA
*RECORDINGS*

Pobierz nagrania na:
**e-polish.eu/czytaj**

KOD
*CODE*   AEW3-R2N1-4Q9B

# Makabra

🎧 01

**spacer** *walk (n.)*
**wycieczka** *trip (n.)*
**też** *as well, too*

**sztuka** *art*
**przewodnik** *tourguide*
**teraz** *now*
**przerwa** *break (n.)*
**pytać** *ask*
**zdenerwowany**
  *irritated*
**temat** *topic*
**jeszcze raz** *once again*

**znowu** *again*

**słowo** *word*

**mój (m.)** *my, mine*

**twój (m.)** *your, yours*
**bagaż** *luggage*

Jest sobota, wieczór.

Student Tom i grupa turystów są w Krakowie, w centrum, na Free Walking Tour. To jest specjalny **spacer** po Krakowie, oficjalnie gratis. **Wycieczka** nazywa się „Makabra w Krakowie" i jest bardzo interesująca. Atmosfera **też** jest specjalna: noc, na lewo jest teatr Bagatela, a na prawo park Planty i galeria Bunkier **Sztuki**.

**Przewodnik** ma na imię Jacek. On jest bardzo kompetentny i profesjonalny. **Teraz** jest **przerwa** na pytania. Grupa **pyta**, a Jacek mówi i mówi.

– Przepraszam, gdzie jest policja? – **zdenerwowany** Tom ma pytanie nie na **temat** programu wycieczki.

Przewodnik Jacek jest skoncentrowany na historii o wampirach. Zero reakcji.

– Przepraszam, gdzie jest policja? – Tom pyta **jeszcze raz**.

Uff, jeden kolega reaguje:

– Przepraszam, nie rozumiem.

– Gdzie tu jest policja? – pyta **znowu** Tom. – Mam problem. Nie mam paszportu!

Kolega jeszcze raz mówi:

– Przepraszam, nie rozumiem. Proszę powtórzyć.

Tom jest zdenerwowany:

– Policja! Komisariat! Agent zero zero siedem!

– Rozumiem **słowo** „policja", nie rozumiem „gdzie jest"? Co to znaczy „gdzie"? – pyta kolega.

– To jest pytanie o adres. Lo-ka-li-za-cja! Wiesz, gdzie jest policja? – mówi Tom.

– A tak, teraz pamiętam, co to znaczy „gdzie". Nie wiem, gdzie jest policja. Mam internet w telefonie, tam jest mapa i nawigacja. Telefon… Gdzie jest **mój** telefon?! Mój iPhone dziewięć! Policja!!! – Teraz kolega też jest zdenerwowany.

Tom pyta:

– To **twój bagaż**, tak? Co tam jest?

– Tablet, notes, woda, paszport, normalna papierowa mapa, maska antysmogowa… – mówi kolega.

– A tutaj? – pyta Tom.

– Uff... To mój telefon! Jestem **zmęczony**. Dziękuję...

– **Nie ma za co**.

– Przepraszam, jak masz na imię?

– Jestem Tom.

– Jeszcze raz bardzo dziękuję, Tom. Dobrze, mam telefon, wi-fi też jest. Proszę: wu-wu-wu, **kropka**, krakow, kropka, pe-el. Nie, to są punkty informacji turystycznej. Moment, komisariat policji jest... sekunda... mam! Ulica Królewska cztery. To jest pięć, sześć minut tramwajem numer cztery albo numer osiem.

– Dziękuję! A ty, jak masz na imię?

– Mam na imię Uwe – **przedstawia się** kolega.

– **Dzięki**, Uwe. I miło mi. A teraz dobranoc. Rozumiesz, sytuacja jest specjalna: paszport i komisariat. Twój numer telefonu? – pyta Tom.

– Numer telefonu do hotelu: plus, cztery-osiem, jeden-dwa, sześć-jeden-pięć, dwa-dziewięć, jeden-trzy. Hotel nazywa się „Polonia". A ja nazywam się Stein: es **jak** student, *te* jak tutaj, *e* jak Ewa, *i* jak imię, *en* jak nazwisko. Powtórzyć?

– Nie, proszę mi to napisać. Tu jest **kartka** i **długopis**. Dziękuję i do zobaczenia! ›

zmęczony *tired*

nie ma za co
  *you're welcome*

kropka *dot (n.)*

przedstawiać się
  *introduce oneself*

dzięki *thanks*

jak *as*

kartka *a sheet of paper*

długopis *pen*

# ćwiczenia
## *exercises*

 **1**

**Proszę napisać liczebniki cyframi.**
*Write the numbers.*

1. James Bond      agent *007* ......................
2. model telefonu      iPhone ......................
3. adres komisariatu      ul. Królewska ......................
4. czas      ................., ................. minut
5. transport      tramwaj ......... albo .........
6. numer telefonu do hotelu      ......................

 **2**

**Prawda (P) czy nieprawda (N)?**
*True (P) or false (N)?*

| | P | N |
|---|---|---|
| 1. Jest niedziela. | | ✓ |
| 2. Wycieczka nazywa się „Makabra w Warszawie". | | |
| 3. Jacek to dobry przewodnik. | | |
| 4. Tom ma problem i jest zdenerwowany. | | |
| 5. Tom pyta: „Gdzie jest konsulat?" | | |
| 6. Kolega nie wie, gdzie ma telefon. | | |
| 7. Kolega nazywa się Uwe Stein. | | |

**3**

**Proszę uzupełnić litery.**
*Fill in the letters.*

1. przepra *sz* am
2. p__tanie
3. jesz___e raz
4. ro__umiem
5. pa___port
6. zmę___ony

7. pro___ę
8. g___ie
9. uli__a
10. na__ywam się
11. dobrano__
12. s__tuac__a

**4** *Proszę uzupełnić antonimy.*
*Write the opposites.*

1. tak       ≠   *nie*
2. Dzień dobry!   ≠ ........................................
3. Dobry wieczór!   ≠ ........................................
4. dzień      ≠ ........................................
5. na prawo   ≠ ........................................
6. tutaj, tu   ≠ ........................................
7. imię       ≠ ........................................
8. mój       ≠ ........................................
9. minus     ≠ ........................................

**5** *Proszę uzupełnić krzyżówkę (liczebniki).*
*Fill in the crosswords with numerals.*

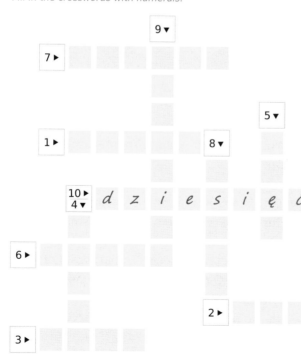

# 2

# Paszport

Komisariat policji, ulica Królewska cztery.

– Dobry wieczór – mówi Tom. – Przepraszam, mam problem. Nie mam paszportu.

– Moment – mówi policjant. – Tu pani ma **taki sam** problem i nie mówi po polsku. **Typowa** sytuacja tutaj: sobota, wieczór, totalny chaos! Proszę **poczekać**. Na lewo jest dystrybutor, to znaczy automat. Tam jest woda, są też herbata i kawa.

– A toaleta? – pyta Tom.

– Przepraszam, toaleta jest **tylko dla personelu**. Proszę poczekać trzy minuty. To jest problem?

– Nie, trzy minuty są OK. Nie ma problemu – mówi Tom.

Dziesięć minut **później**...

Policjant mówi:

– Proszę tutaj. Paszport, tak? Jak się pan nazywa?

– Nazywam się Tom Peterson.

Policjant notuje:

– *Te-o-em* czy *Te-ha-o-em*? Normalnie jak po polsku, tak? Dobrze. A nazwisko Peterson, dwa *es*?

– Nie, jedno *es* – mówi Tom. – Mam amerykański paszport. Tam jest też wiza do Rosji, to mój priorytet!

Policjant jest bardzo zainteresowany.

– Wiza do Rosji? – pyta. – To interesujące.

– Tak – mówi Tom. – To skomplikowane. Hm... Studia. Doktorat. Historia. Komunizm. Relacje Polska–Rosja. Rozumie pan? Nie mówię dobrze po polsku...

– Plus minus rozumiem – mówi policjant. – Adres w Krakowie?

– Nie pamiętam adresu. Przepraszam! Pamiętam adres szkoły, ulica... O nie! Też nie pamiętam! Szkoła nazywa się...

– Uniwersytet Jagielloński?

– Nie, to jest prywatna szkoła. Nazywa się... Nie pamiętam, nie pamiętam...!

Tom jest zdenerwowany, a policjant nie. Szok, panika, histeria i stres to normalna sytuacja tutaj.

**taki sam** *the same*
**typowy** *typical*
**poczekać** *wait*

**tylko dla personelu**
*staff only*

**później** *later*

CZYTAJ

– Woda? – pyta.

– Nie, dziękuję – mówi Tom. – Mam tu pepsi. Pepsi jest dobra na stres. Mój adres. Hm... Co pamiętam? To akademik – dom studencki. Jest w centrum, na prawo jest biblioteka, na lewo jest stadion sportowy. Tam jest też park i muzeum. Dom studencki nazywa się Za..., nie. Zia..., nie pamiętam!

– Ja wiem – mówi policjant. – Dom studencki Żaczek. Zet z **kropką**. Adres: ulica Trzeciego Maja pięć.

kropka *dot (n.)*

– To popularny adres? – pyta Tom.

– O tak, bardzo popularny. **Szczególnie** w sobotę wieczorem. Tu jest formularz. Proszę **się podpisać**, to znaczy napisać imię i nazwisko. Dziękuję. I proszę tutaj napisać numer telefonu. Pamięta pan numer telefonu?

szczególnie *especially*
podpisać się *sign (v.)*

Tom pamięta, policjant notuje: plus, cztery-osiem, sześć-dziewięć-trzy, pięć-siedem-osiem, dwa-cztery-jeden.

– **To wszystko** – mówi policjant. – Proszę czekać na telefon.

to wszystko *that's all*

– Dziękuję – mówi Tom. – Dobranoc.

– Dobranoc. A toaleta jest w restauracji, na prawo od komisariatu!

Niedziela, dom studencki Żaczek.

– Dżinsy... OK, są. T-shirt.... jest tutaj. Sweter czy bluza? Bluza. Adidasy... Gdzie są adidasy? **Może** tam? Są. O, co tu jest? Paszport? Mój paszport! Tutaj? Makabra... ▸

może *maybe*

**1** **Proszę uzupełnić.**
*Fill in the gaps.*

znaczy | tylko | polsku | herbata | jest ✓ | lewo | wieczór

Policjant *jest* zmęczony. Mówi: „Moment. Tu pani ma taki
sam problem i nie mówi po ........................... Typowa sytuacja tutaj:
sobota, ........................ i totalny chaos! Na ........................ jest
dystrybutor, to ........................ automat. Tam jest woda, są też
........................ i kawa. Toaleta jest ........................ dla personelu."

**2** **Proszę uzupełnić.**
*Fill in the gaps.*

prawo | zdenerwowany ✓ | pamiętam | stadion | jest | w

Tom jest *zdenerwowany* . Mówi: „Mam tu pepsi.
Pepsi ........................ dobra na stres. Mój adres. Hm... Co
pamiętam? To akademik – dom studencki. Jest ........................ centrum,
na ........................ jest biblioteka, na lewo jest ........................
sportowy. Tam jest też park i muzeum. Nie ........................ , jak
nazywa się ulica."

**3** **Proszę napisać liczebniki cyframi.**
*Write the numbers.*

1. Komisariat policji, ulica Królewska cztery ( *4* ).
2. Trzy ( ........... ) minuty to jest problem?
3. Dziesięć ( ........... ) minut.
4. Adres: ulica Trzeciego Maja pięć ( ........... ).
5. Policjant notuje numer telefonu: plus, cztery osiem, sześć
   dziewięć trzy, pięć siedem osiem, dwa cztery jeden
   ( ........................................... ).

**4** **Proszę uzupełnić dialog (oficjalnie).**
*Fill in the dialogue (formal).*

– _Woda_ ?
– Nie, dziękuję.

– ..................................................................................... ?
– Nazywam się Tom Peterson.

– ..................................................................................... .
– Te-o-em, Pe-te-er-es-o-en.

– ..................................................................................... ?
– Nie pamiętam. Przepraszam! Pamiętam adres szkoły.

– ..................................................................................... ?
– +48 693 578 241.

**5** **Co pasuje?**
*Underline the correct answer.*

1. Dobry <u>wieczór</u> | wieczorem.
2. Mam problem | problemu.
3. Nie ma problem | problemu.
4. Mam paszport | paszportu.
5. Nie mam paszport | paszportu.
6. Pamiętam adres | adresu.
7. Nie pamiętam adres | adresu.
8. Adres w Kraków | Krakowie.
9. Nie mówię dobrze po polsku | polski.
10. Numer telefon | telefonu.

**6** **Gdzie są słowa – dni tygodnia?**
*Find the words – weekdays.*

poniedziałek wtorek środa czwartek piątek sobota niedziela

# słowniczek
*glossary*

| | polski | English | your notes |
|---|---|---|---|
| **pytanie** *question* | **co?** | *what?* | ........................... |
| | **gdzie?** | *where?* | ........................... |
| | **jak?** | *how?* | ........................... |
| **rzeczownik** *noun* | **imię** | *name* | ........................... |
| | **nazwisko** | *surname* | ........................... |
| | **kolega** | *male friend* | ........................... |
| | **koleżanka** | *female friend* | ........................... |
| | **pan** | *Mister* | ........................... |
| | **pani** | *Madam* | ........................... |
| | **państwo** | *Mr and Mrs* | ........................... |
| | **szkoła** | *school* | ........................... |
| | **lekcja** | *lesson* | ........................... |
| | **pytanie** | *question* | ........................... |
| | **przerwa** | *break* | ........................... |
| | **spacer** | *walk* | ........................... |
| | **cukier** | *sugar* | ........................... |
| | **herbata** | *tea* | ........................... |
| | **kawa** | *coffee* | ........................... |
| | **woda** | *water* | ........................... |
| | **dzień** | *day* | ........................... |
| | **noc** | *night* | ........................... |
| | **wieczór** | *evening* | ........................... |
| | **dzisiaj** | *today* | ........................... |
| | **jutro** | *tomorrow* | ........................... |

| **czasownik** *verb* | | |
|---|---|---|
| **być** | *be* | ..................................... |
| **mieć** | *have* | ..................................... |
| **mówić** | *speak* | ..................................... |
| **napisać** | *write* | ..................................... |
| **nazywać się** | *be called* | ..................................... |
| **pamiętać** | *remember* | ..................................... |
| **powtórzyć** | *repeat* | ..................................... |
| **przeczytać** | *read* | ..................................... |
| **przeliterować** | *spell* | ..................................... |
| **rozumieć** | *understand* | ..................................... |
| **znaczyć** | *mean* | ..................................... |

| **inne** *other* | | |
|---|---|---|
| **mój** | *my, mine* | ..................................... |
| **twój** | *your, yours* | ..................................... |
| **bardzo** | *very* | ..................................... |
| **miło** | *nice* | ..................................... |
| **na lewo** | *on the left* | ..................................... |
| **na prawo** | *on the right* | ..................................... |
| **teraz** | *now* | ..................................... |
| **tam** | *over there* | ..................................... |
| **tutaj/tu** | *here* | ..................................... |
| **też/również** | *as well, too* | ..................................... |

**3**

warsztat językowy
*language workshop*

państwo *country*

miasto *city, town*

na przykład *for example*

litera *letter*

ale *but*

to jasne *it's obvious*

na serio

*seriously, for real*

uwaga *attention*

gotowy *ready*

wszystko *everything*

# Warsztat

🎧 03

W piątek w szkole jest **warsztat językowy** „Gramy po polsku". Gra numer jeden nazywa się „**Państwo-miasto-**imię". To nieskomplikowana gra. Studenci mają tabelę: państwo, miasto, imię.

– Ja mówię alfabet, a jeden student mówi: „stop!", rozumiecie? – pyta nauczyciel. – **Na przykład** jest **litera**... „K". Jak się nazywa państwo na literę „K"? W Europie nie ma, **ale** w Ameryce jest: Kanada. Teraz miasto – **to jasne**: Kraków! Albo Kijów. Polskie imię na literę „K"? Proszę bardzo: Karol, Karolina. Rozumiecie? A teraz gramy **na serio**. **Uwaga**! Start! A, be, ce, de, e, ef, gie, ha...

– Stop! – mówi Mami.

– Jest litera „I" – mówi nauczyciel. – Tutaj mam stoper. Uwaga! Start!

Trzy minuty później:

– Stop! Jesteście **gotowi**? Mami, masz **wszystko**? – pyta nauczyciel.

– Tak, mam wszystko. Państwo to Italia.

– Nie, to nie jest państwo na literę „I", bo „Italia" po polsku to Włochy. À propos, pamiętacie? To jest „wu", „wu" jak... wuwuzela. Dobrze, kto ma państwo na literę „I"?

– Irlandia? – pyta Angela.

– Świetnie, a teraz miasto. Uwe, co masz?

– Ja nie mam nic.

– A wy? Co macie? – pyta nauczyciel.

– Ja mam Irkuck. To miasto w Rosji – mówi Tom.

CZYTAJ

– A ja mam **inne** miasto. Nazywa się Ichikawa, jest dwadzieścia kilometrów od centrum Tokio.

*inny different*

– Bardzo dobrze, a teraz imię. Javier, co masz? – pyta nauczyciel.

– O, to nie jest jedno imię, to **seria**! Iwona, Irena, Izabela, Izolda, Ida, Inga...

*seria a series of*

– Dobrze, dobrze, Javier, stop!

Gra numer dwa to *scrabble**. To bardzo interesująca, ale skomplikowana gra, nie dla studentów grupy A1. Nauczyciel ma specjalny wariant na warsztat językowy.

– Macie dziewięć liter. Litery mają punkty: A, E, S, I, Z – jeden punkt, K i M – dwa punkty, J – trzy punkty i Ć – sześć punktów. Gracie indywidualnie. Proszę konstruować **słowa** i **liczyć** punkty. Jesteście gotowi? – pyta nauczyciel. – Macie cztery minuty. Start!

*słowo word*
*liczyć count*

Minuta, dwie, trzy, cztery...

– Jestem gotowy! – mówi Tom. – Mam słowo „masz". Pięć punktów!

– Ja też mam słowo – mówi Angela. – I dziesięć punktów. Słowo „mieć".

– Ja mam słowo „maj". W Krakowie mieszkam z polską **rodziną**, oni nazywają się Maj – mówi Mami. – To jest nazwisko, ja wiem, ale to jest też **miesiąc**.

*rodzina family*
*miesiąc month*

– Dzięki, Mami. Jesteś super – mówi Uwe. – Teraz mam bardzo dobre słowo, „mieszkać", to jest... moment. To jest piętnaście punktów! Brawo ja!

– Uwe, nie mówi się „brawo ja", tylko „brawo **dla mnie**".

*dla mnie for me*

– To ja mam słowo „ja" – mówi Javier. – Ile to punktów? ‣

---

* *Standardowa wersja polska:*
Polski alfabet ma trzydzieści dwie (32) litery. Litery mają punkty. Litery A, E, I, N, W czy Z są bardzo popularne, **więc** mają tylko jeden punkt. Polskie litery Ą, Ę, Ó, Ś, Ć, Ń, Ż mają pięć, sześć, albo siedem punktów, a Ź ma maksimum: dziewięć punktów! Uwaga, polski alfabet nie ma Q, V i X. Są też „blanki", mają zero punktów, ale są jak dżoker. Grają dwie, trzy albo maksymalnie cztery **osoby**. Gracze konstruują słowa. Jeden gracz ma siedem liter. Jest też premia literowa i premia słowna.

*więc so*

*osoba person*

# ćwiczenia
## *exercises*

**1** **Proszę uzupełnić czasownikiem „być".**
*Fill in with the verb 'to be'.*

1. I ja, i on *jesteśmy* z Krakowa.
2. W piątek w szkole ........................ warsztat językowy.
3. Stop! *(wy)* ........................ gotowi?
4. To nie ........................ państwo na literę „I".
5. Litery „W" i „Z" ........................ bardzo popularne.
6. *(ja)* ........................ gotowy! – mówi Tom.
7. Dzięki, Mami. *(ty)* ........................ super!
8. Ta wersja ........................ skomplikowana.

**2** **Proszę uzupełnić tabelę i ułożyć zdania.**
*Fill in the table and write the sentences.*

| LITERA | IMIĘ | PAŃSTWO | MIASTO |
|--------|------|---------|--------|
| A | *Anna* | *Austria* | *Amsterdam* |
| H | | | |
| R | | | |
| P | | | |
| B | | | |

1. *Anna jest z Austrii, ale teraz mieszka w Amsterdamie.*
2.
3.
4.
5.

**3**  **_Proszę uzupełnić czasownikiem „mieć"._**
_Fill in with the verb 'to have'._

1. Jeden gracz _ma_ siedem liter.
2. Oni _____ tabelę: państwo, miasto, imię.
3. Tutaj _____ stoper, start! – mówi nauczyciel.
4. Mami, *(ty)* _____ wszystko?
5. Ja nie _____ nic.
6. A wy? Co _____ ?
7. *(my)* _____ dziewięć liter.
8. Polski alfabet nie _____ „Q","V" i „X".

**4**  **_Jakie tu są słowa? Ile mają punktów?_**
_Find the words and count the score._

1. $A_1$ $A_1$ $Ą_5$ $I_1$ $J_3$ $G_3$ $T_2$ $M_2$ $R_1$
   _gitara (9 punktów),_

2. $A_1$ $O_1$ $O_1$ $I_1$ $E_1$ $P_2$ $D_2$ $J_3$ $N_1$

3. $M_2$ $S_1$ $T_2$ $J_3$ $E_1$ $E_1$ $Ś_5$ $Y_2$ $A_1$

4. $G_3$ $K_2$ $Z_1$ $D_2$ $I_1$ $I_1$ $E_1$ $Ę_5$ $Ń_7$

5. $Z_1$ $Z_1$ $S_1$ $C_2$ $T_2$ $I_1$ $Y_2$ $U_1$ $Ę_5$

6. $Ż_5$ $L_2$ $T_2$ $B_3$ $F_4$ $N_1$ $O_1$ $E_1$ $E_1$ $Y_2$

# Patryk

🎧 04

**dzielnica** *district*
**jego** *his*

**apteka** *chemist's*
**fryzjer** *hairdresser*
**sklep** *shop*
**spacerem** *on foot*
**główny** *main*
**dworzec** *railway station*
**praktyka** *apprenticeship*
**jak** *how*
**czuć się** *feel*
**że** *that*
**metro** *underground*
**trochę** *a little*

**narodowy** *national*

**firma** *company*
**międzynarodowy**
    *international*
**szef** *boss*
**Stany Zjednoczone**
    *the USA*
**raz** *once*
**dyrektor** *manager*
**tylko** *only*
**kobieta** *woman*

**mężczyzna** *man*

Patryk mieszka w Krakowie, ale nie w centrum miasta – on mieszka w Nowej Hucie. Nowa Huta to specyficzna socrealistyczna **dzielnica** Krakowa. Centrum Nowej Huty to Plac Centralny i tam mieszka Patryk. **Jego** adres to Aleja Róż czternaście przez dziewiętnaście. To dobra lokalizacja. Park, muzeum, teatr, kino, bank, **apteka**, **fryzjer**, **sklepy** – to wszystko tu jest: dziesięć, maksymalnie piętnaście minut **spacerem**. Rynek **Główny**? Dwadzieścia pięć minut, ale tramwajem. A **Dworzec** Główny plus minus dwadzieścia minut autobusem. Atmosfera jest sympatyczna, bo Patryk wie, kto mieszka na prawo, a kto na lewo. Nie jest tu anonimowy.

Teraz Patryk jest w Warszawie, bo tutaj ma **praktykę** w amerykańskiej korporacji. **Jak** on **się** tu **czuje**? Świetnie! To nie jest prowincjonalne miasto! To metropolia! Patryk mówi, **że** ulice, place, aleje, domy, dworzec, **metro**, atmosfera są **trochę** jak w Nowym Jorku, a trochę jak w Moskwie.

Patryk mieszka w hostelu, dziesięć minut spacerem od stacji metra „Politechnika". Dzielnica nazywa się Stara Ochota, a ulica – Wawelska! Lokalizacja jest bardzo dobra, bo tam jest stadion sportowy, a Patryk gra w rugby. Jest też Biblioteka **Narodowa**, ale on nie ma czasu, żeby czytać.

Sekcja **firmy**, gdzie Patryk ma praktykę, jest bardzo **międzynarodowa**. **Szef** jest z Ameryki, ze **Stanów Zjednoczonych**. Mieszka w Nowym Jorku. Teraz jest w Polsce: **raz** w Warszawie, raz we Wrocławiu, bo tam firma ma filie. Wiceszef jest z Niemiec, a **dyrektor** finansowy jest z Japonii. Grupa Patryka to **tylko** siedem osób. Menedżer jest z Francji, analityk jest z Anglii, informatyk jest z Ukrainy, asystent jest z Włoch, projektant stron internetowych ze Szwajcarii, a sekretarka jest z Hiszpanii.

– Dlaczego tu jest tylko jedna **kobieta**? Gdzie jest emancypacja? To jest normalne? – pyta Patryk. – Dlaczego szef to **mężczyzna**, a sekretarka to kobieta?

– Kobieta, mężczyzna, **dziewczyna**, **chłopak**… to nie ma **znaczenia** – mówi szef. – Kompetencje, motywacja, entuzjazm, energia – to ma znaczenie. Rozumiecie? Gramy **razem**, tak? Gra–my ra–zem, gra–my ra–zem!

Patryk ma też inny problem. Bardzo naturalne pytanie „skąd jesteś?" to skomplikowana kwestia. On nie wie, co mówić! Dlaczego? Bo jego tata jest z Afryki, a mama teoretycznie jest z Polski. „Teoretycznie", bo ona nie wie, skąd jest – jest adoptowana przez polską rodzinę. Wie tylko, że **jej** biologiczna rodzina jest z Azji i to wszystko.

Teraz mama mieszka w Berlinie, bo tam ma biznes. Tata mieszka w Rzymie, bo tam ma kontrakt. **Brat** Patryka ma stypendium w Londynie. On nie planuje mieszkać w Polsce, chce pracować w Anglii. **Siostra** i kuzyn mieszkają w Paryżu. Tam siostra studiuje medycynę, żeby pracować w Afryce dla organizacji humanitarnych. Kuzyn jest **zaangażowany** w międzynarodowy projekt fotograficzny „Dwanaście ulic metropolii".

To znaczy, że **aktualnie** tylko jedna osoba z rodziny jest w Polsce – Patryk. Dlaczego? Bo tutaj mieszka Karolina – jego dziewczyna. Ona **jeszcze** uczy się w liceum w Krakowie. Patryk nie planuje studiować w Polsce. W Madrycie, w Wiedniu, w Heidelbergu, w Brukseli – dlaczego nie? A Karolina **jeszcze nie** wie, gdzie chce studiować.

Patryk to kosmopolita: **wszystko jedno** gdzie mieszka – tu czy tam. On nie ma kompleksów, bo rodzina jest tolerancyjna i nie ma tematu tabu. Religia, **narodowość**… to nie ma znaczenia. Charakter, **osobowość**, **poczucie humoru** – to ma znaczenie!

Na przykład Patryk świetnie pamięta **pierwszy** dzień w szkole – klasa ma szesnaście osób, ale tylko on jest inny.

– Jak się nazywasz? Skąd jesteś? – pyta nauczycielka.

– Nazywam się Patryk Okumu. Jestem z planety **Ziemia**. A wy? ▸

**dziewczyna** *girl*
**chłopak** *boy*
**znaczenie** *importance*
**razem** *together*

**jej** *her*

**brat** *brother*

**siostra** *sister*

**zaangażowany**
  *involved*

**aktualnie** *currently*

**jeszcze** *still*

**jeszcze nie** *yet*
**wszystko jedno**
  *it doesn't matter*
**narodowość** *nationality*
**osobowość** *personality*
**poczucie humoru**
  *a sense of humour*
**pierwszy** *first*

**Ziemia** *Earth*

# ćwiczenia
## *exercises*

---

**1**

**Proszę napisać pytania.**
*Write the questions.*

1. *Jak ma na imię chłopak Karoliny* ?
   On ma na imię Patryk.

2. _____ ?
   Patryk teraz jest w Warszawie.

3. _____ ?
   On teraz jest w Warszawie, bo ma praktykę w amerykańskiej firmie.

4. _____ ?
   Szef jest z Ameryki, ze Stanów Zjednoczonych.

5. _____ ?
   Szef teraz mieszka w Polsce.

6. _____ ?
   Sekretarka jest z Hiszpanii.

7. _____ ?
   Mama Patryka mieszka w Berlinie, bo tam ma biznes.

---

**2**

**Proszę uzupełnić. Uwaga na formy!**
*Fill in the gaps with the correct forms.*

| mieć ✓ | pytać | wiedzieć | mieszkać | grać | mieć | mieszkać |
| pamiętać | nazywać się | pytać | mieszkać | grać | wiedzieć |

1. Chłopak Karoliny *ma* na imię Patryk.
2. Patryk _____ w Krakowie.
3. To jest normalna sytuacja? – _____ Patryk.
4. *(my)* _____ ra-zem, _____ ra-zem, tak?
5. Mama Patryka nie _____, skąd jest – jest adoptowana.
6. Tata _____ w Rzymie, bo tam _____ kontrakt.
7. Siostra i kuzyn _____ w Paryżu.
8. Karolina jeszcze nie _____, gdzie chce studiować.
9. Patryk świetnie _____ pierwszy dzień w szkole.
10. Jak *(ty)* _____ ? – _____ nauczycielka.

CZYTAJ

**3**    *Gdzie to jest? Proszę dopasować.*
*Where is it? Match the phrases.*

1. Stolica Unii Europejskiej jest
2. Big Ben jest
3. Brama Brandenburska jest
4. Luwr jest
5. Sagrada Família jest
6. Koloseum jest
7. Kreml jest
8. Central Park jest
9. Wawel jest

   a   w Krakowie
   b   w Moskwie
   c   w Rzymie
   d   w Nowym Jorku
   e   w Brukseli
   f   w Paryżu
   g   w Berlinie
   h   w Londynie
   i   w Barcelonie

**4**    *Proszę napisać liczebniki cyframi.*
*Write the numbers.*

1. Aleja Róż czternaście przez dziewiętnaście    *14/19*
2. dziesięć, maksymalnie piętnaście minut spacerem    ............. , .............
3. dwadzieścia pięć minut tramwajem
4. grupa ma siedem osób
5. projekt „Dwanaście ulic metropolii"
6. klasa ma szesnaście osób

**5**    *Proszę uzupełnić.*
*Fill in with the words.*

| Narodowa | międzynarodowy | międzynarodowa ✓ | narodowość |

1. Firma, gdzie Patryk ma praktykę, jest bardzo *międzynarodowa* .
2. Gdzie jest Biblioteka ...................... ?
3. Dobrze: imię – Patryk, ...................... – Polak, tak?
4. Kto jest zaangażowany w ...................... projekt
fotograficzny?

# słowniczek
## *glossary*

| polski | English | *your notes* |
|---|---|---|
| **pytanie** *question* | | |
| **co słychać?** | *how are you?* | .................................... |
| **dlaczego?** | *why?* | .................................... |
| **gdzie?** | *where?* | .................................... |
| **skąd?** | *where... from?* | .................................... |
| **rzeczownik** *noun* | | |
| **chłopak** | *boy* | .................................... |
| **dziewczyna** | *girl* | .................................... |
| **aleja** | *avenue* | .................................... |
| **dworzec** | *railway station* | .................................... |
| **miasto** | *city, town* | .................................... |
| **państwo** | *country* | .................................... |
| **plac** | *square* | .................................... |
| **ulica** | *street* | .................................... |
| **Anglia** | *England* | .................................... |
| **Austria** | *Austria* | .................................... |
| **Francja** | *France* | .................................... |
| **Hiszpania** | *Spain* | .................................... |
| **Niemcy** | *Germany* | .................................... |
| **Rosja** | *Russia* | .................................... |
| **Włochy** | *Italy* | .................................... |
| **Londyn** | *London* | .................................... |
| **Madryt** | *Madrid* | .................................... |
| **Moskwa** | *Moscow* | .................................... |
| **Paryż** | *Paris* | .................................... |
| **Rzym** | *Rome* | .................................... |
| **Wiedeń** | *Vienna* | .................................... |

| czasownik *verb* | | |
|---|---|---|
| **chcieć** | *want* | |
| **grać** | *play* | |
| **mieszkać** | *live* | |
| **pracować** | *work* | |
| **studiować** | *study* | |
| **uczyć się** | *learn* | |
| **wiedzieć** | *know* | |

| przysłówek *adverb* | | |
|---|---|---|
| **świetnie** | *fantastic* | |
| **dobrze** | *well* | |
| **w porządku** | *all right* | |
| **źle** | *badly* | |

| inne *other* | | |
|---|---|---|
| **a** | *and* | |
| **bo** | *because* | |
| **w/we** | *in, on* | |
| **z** | *from* | |
| **że** | *that* | |
| **żeby** | *in order to* | |

# 5

# Karton

🎧 05

**państwo**
  *Mr and Mrs*
**fajny** *nice*
**mieszkanie** *flat (n.)*
**pokój** *room (n.)*

**słownik** *dictionary*

**drzwi** *door*

**zamknięty** *closed*
**otwarty** *open (adj.)*

**obok** *next to*

**dla ciebie** *for you*

**otwierać** *open (v.)*
**okulary** *glasses*

Mami mieszka z polską rodziną. Rodzina **państwa** Maj jest bardzo **fajna**. Wszyscy – to znaczy pani Joanna, pan Grzegorz, ich dzieci Karol i Karolina – są bardzo sympatyczni.

– Mami, czy wszystko w porządku? Jak **mieszkanie**? Jak **pokój**? – pytają.

– Wszystko świetnie – mówi Mami. – Mieszkanie jest komfortowe, a pokój bardzo duży. I ta tablica korkowa jest bardzo praktyczna. Mam tam prywatny **słownik** na kolorowych kartkach. Jeden dzień to jedno nowe słowo. Moje słowo na dzisiaj to „pokój".

– Tutaj masz klucz od **drzwi** do mieszkania – mówi pani Joanna.

– Klucz jest patentowy: dwa razy w prawo i mieszkanie jest **zamknięte**, trzy razy w lewo i mieszkanie jest **otwarte** – Karol w trzy sekundy robi dla Mami prezentację.

– A tutaj jest alarm. Kod do alarmu to dwadzieścia dziewięć – dziewiętnaście. Pamiętasz? Czy powtórzyć? – pyta pan Grzegorz.

– Nie, kody i PIN-y pamiętam bardzo dobrze. Ale mam pytanie – mówi Mami. – Na prawo od drzwi, tutaj **obok** okna, jest karton. Co tam jest?

– Karton? Aaa, ten karton! To moje prywatne archiwum – mówi pani Joanna. – Czy to duży problem **dla ciebie**, że tam jest?

– Mamo, jakie archiwum? – Karol to fan starych historii. – Mamo, proszę!

– Dobrze, nie ma problemu, to nie jest sekret. Karol, karton na krzesło!

– Uff, minimum piętnaście kilo, co tam jest? – pyta Karol. Pani Maj **otwiera** karton.

– Moment, a gdzie są moje **okulary**?

– Są na stole. Proszę! – mówi Karol.

– Dziękuję. Co my tu mamy…? No proszę, mój stary zeszyt do matematyki: „Asia Sokołowska, klasa pierwsza b". A tutaj moja pierwsza książka do języka polskiego – elementarz.

Mami, proszę, to mały prezent dla ciebie. Bardzo praktyczny, **kiedy** uczysz się czytać i pisać.

– Dziękuję! Uwaga, otwieram i czytam: „To ulica. Ile tu **aut**? A tam ile? A oto i motocykl taty". Rozumiem!

– A tutaj mały słownik polsko-rosyjski, ale nie mój. Nie wiem, dlaczego tu jest. I stary numer gazety szkolnej, i... mój artykuł „Teatr **czy** kino?".

– A ta fotografia? Kto to jest? – pyta Mami.

– Ta dziewczyna na fotografii to ja. To szkolny spektakl teatralny. Gram Ofelię, a ten mały chłopak to Grzegorz, przepraszam – Hamlet!

– Tata? No nie! Tata ma talent aktorski? – Karol jest sceptyczny.

– Jasne! – mówi pan Grzegorz. – I genialną **pamięć**: „Być albo nie być, oto jest pytanie". Brawa dla mnie, dziękuję. A to, co to jest?

– Moja stara torba. Teraz znowu bardzo **modna** – mówi pani Joanna sentymentalnie. – A tutaj długopis, **pamiątka** z Zakopanego. I stara mapa „Tatry Polskie i Słowackie". O, metalowy kubek turystyczny! Grzegorz, czy ty też to pamiętasz?

– Pamiętam, Joanno. Zakopane, staromodny pensjonat, mały pokój, okno na Tatry, gramofon, romantyczna muzyka...

– Tutaj jest duża czarna płyta winylowa, czy to ta? – pyta Karol. – Nazywa się „Stare Dobre **Małżeństwo**".

– Tak, to ta płyta. Wiecie, jaki **dzwonek** ma moja komórka, prawda? To ta muzyka – mówi pan Grzegorz.

– Proszę pani, a tutaj jest różowa gumka. Ale jest kompletnie nowa. I ołówek też jest jak nowy. Dlaczego?

– Chińska gumka i chiński ołówek to klasowy prestiż. Nie żeby pisać, tylko **po prostu** mieć, rozumiecie?

– Mieć chiński ołówek to prestiż? – dla Mami ta informacja jest szokująca.

– Tak, socjalistyczne państwo to szara **rzeczywistość**, a chiński ołówek czy chińska gumka to **coś** kolorowego, egzotyczny aromat. No tak, wy – nowa generacja – nie rozumiecie... ▸

| | |
|---|---|
| **kiedy** *when* | |
| **auto** *car* | |
| **czy** *or* | |
| **pamięć** *memory* | |
| **modny** *fashionable* | |
| **pamiątka** *souvenir* | |
| **małżeństwo** *married couple* | |
| **dzwonek** *ring tone* | |
| **po prostu** *simply* | |
| **rzeczywistość** *reality* | |
| **coś** *something* | |

# ćwiczenia
## *exercises*

**5**

**1**

**Proszę napisać pytania.**
*Write the questions.*

1. _Co to jest_ ? To jest karton.
2. ................................ ? Tak, ta rodzina jest bardzo fajna.
3. ................................ ? Pokój jest duży.
4. ................................ ? Kod do alarmu to 29-19.
5. ................................ ? Karton jest obok okna.
6. ................................ ? Okulary są na stole.
7. ................................ ? „Być albo nie być, oto jest pytanie."
8. ................................ ? Nie, to nie jest pamiątka z Krakowa.
9. ................................ ? Gumka jest kompletnie nowa.

**2**

**Proszę uzupełnić tabelę.**
*Fill in the table.*

rodzina | zeszyt ✓ | pokój | mieszkanie | archiwum ✓ | słownik | tata
książka ✓ | artykuł | torba | kubek | auto | komórka | generacja | państwo

| MÓJ | MOJA | MOJE |
|---|---|---|
| *zeszyt* | *książka* | *archiwum* |
| | | |
| | | |
| | | |

**3**

**Proszę uzupełnić antonimy.**
*Write the opposites.*

1. sympatyczny ≠ _niesympatyczny_
2. nowy ≠ ................................
3. zamknięty ≠ ................................
4. mały ≠ ................................
5. dobry ≠ ................................

CZYTAJ

**4**    *Co pasuje: -y, -i, -a, -e?*
*Fill in with '-y', '-i', '-a', '-e'.*

1. polsk_a_ rodzina
2. komfortow__ mieszkanie
3. duż__ pokój
4. praktyczn__ tablica korkow__
5. now__ słowo
6. prywatn__ archiwum
7. duż__ problem
8. star__ zeszyt
9. pierwsz__ książka
10. mał__ prezent
11. mał__ słownik
12. star__ numer
13. gazeta szkoln__
14. spektakl teatraln__

15. mał__ chłopak
16. talent aktorsk__
17. modn__ torba
18. star__ mapa
19. metalow__ kubek
20. staromodn__ pensjonat
21. romantyczn__ muzyka
22. duż__ czarn__ płyta
23. star__ dobr__ małżeństwo
24. now__ gumka
25. chińsk__ ołówek
26. socjalistyczn__ państwo
27. now__ generacja
28. szar__ rzeczywistość

**5**    **Jaki? Jaka? Jakie? Proszę ułożyć pytania, a następnie napisać odpowiedzi.**
*What... like? Write the questions and answer them.*

rodzina ✓ | mieszkanie | pokój | słownik | tata
książka | torba | auto | komórka | państwo

1. *Jaka jest twoja rodzina? Moja rodzina jest duża.*
2. 
3. 
4. 
5. 
6. 
7. 
8. 
9. 
10.

# 6

# Bistro

🎧 06

zimny *cold*
niebo *sky*
nos *nose*
widzieć *see*
blisko *near*

tęcza *rainbow*
złoty interes
  *a sweet deal*
Chodźmy! *Let's go!*
granatowy *navy blue*
złoty *gold*
rybka, ryba *fish*
srebrny *silver*

męski *for gentlemen*
damski *for ladies*

kółko *circle*
trójkąt *triangle*

Jest szary, **zimny**, melancholijny dzień. **Niebo** jest szare, miasto jest szare. Uwe jest zmęczony, Mami ma fioletowy **nos**, bo jest zimno, a Angela nie czuje się dobrze. Tylko optymista Javier **widzi** wszystko w różowych kolorach.

– Mamy czas na lunch. Wiem, gdzie **blisko** szkoły jest dobre bistro, tylko pięć minut spacerem. Nazywa się „Kolorowe", idealne na dziś – mówi Javier. – To bardzo komiczne: ulica, gdzie jest to bistro, nazywa się Szara. A ulica na prawo nazywa się Czarna i jest tam bar „Biała Noc". Ulica na lewo nazywa się Biała i tam jest restauracja „Czarny Kot". Paradoks, prawda? A hotel, gdzie jest to bistro, nazywa się „**Tęcza**". À propos, gastronomia to **złoty interes**!

– Hej, **chodźmy**, mamy zielone! – mówi Uwe. – Stop, teraz czerwone! Uwaga, uwaga, **granatowy** uniform, tam jest policja…!

Bistro „Kolorowe" jest małe i miłe. Po prawej jest okno na ulicę, małe akwarium i **złota rybka**. Po lewej duży stół, **srebrna** lampa i czarno-biała fotografia pani w bikini. Gra polska muzyka.

– Dlaczego to bistro nazywa się „Kolorowe"? – pyta Mami. – Wszystko jest sterylnie białe! Stół, krzesła, bar, drzwi. Białe jak mleko!

– Ale jest akcent kolorystyczny – mówi Javier. – Toaleta **męska** jest niebieska, a **damska** różowa.

– Skąd wiesz? – pyta Uwe. – Rozumiem, że wiesz, jaki kolor ma męska toaleta, ale damska?!

– Bo ja nie pamiętam, jaki symbol mają drzwi do męskiego WC, **kółko** czy **trójkąt**. Trójkąt, prawda?

CZYTAJ
*krok po kroku*

– Trójkąt? – Mami jest czerwona jak **burak**. – Bo ja... męska toaleta... Ojej!

– Mami, to nie problem – mówi dyplomatycznie Uwe. – Jesteśmy tu tylko my. O, jest i pani **kelnerka**. I **karta dań**. Karta jest „autorska"? Co to znaczy?

– To znaczy, że to jest bardzo oryginalne menu, a produkty są lokalne i sezonowe – mówi kelnerka. – Fuzja tradycji i nowego. Rozumie pan?

– Hm, rozumiem. To dla mnie **sok** pomarańczowy. Albo nie, proszę ten sok z **czarnej porzeczki**. Dla kolegi czerwone wino. Angela, czy ty też chcesz wino? Różowe, tak? A dla ciebie Mami? Biała kawa czy zielona herbata? Dobrze, herbata. Teraz lunch: dla mnie tylko czerwony barszcz. Javier, dla ciebie też? Czy może biały? Tak, tak, jest też biały barszcz. Świetnie: jeden czerwony, jeden biały. Angela, zupa czy sałatka?

– Sałatka „Symfonia kolorów" jest w porządku: zielona sałata, czerwona papryka, żółty **ser**, czarne oliwki i biały sos. Ale nie wiem, co to jest biały sos.

– Majonez – mówi kelnerka.

– To nie, dziękuję. Jest też sałatka „Kolorowy minimalizm". Brązowy **ryż**, czerwona **cebula**, zielona **pietruszka**, czarny sezam. Plus tost i dżem pomarańczowy. Hm, bardzo autorska ta sałatka... ale poproszę. Mami, a dla ciebie?

– Dla mnie czarny **makaron**, szary sos i biała ryba. I jeszcze proszę deser „Mozaika": zielone jabłko, biała czekolada, ekologiczne oregano, cynamon, brązowy cukier, różowa sól himalajska, czerwony pieprz. Jest bardzo awangardowy!

– No dobrze, dlaczego nie? To wszystko, proszę pani. I mamy pytanie: jaka to muzyka?

– „Czerwone Gitary". To stary dobry bigbit. Teraz jest moda na retro. Ta melodia nazywa się „Nie mów nic".

– A dlaczego to bistro nazywa się „Kolorowe"? – pyta Mami.

– **Nie mam zielonego pojęcia** – mówi kelnerka. ›

burak *beetroot*

kelnerka *waitress*
karta dań *menu*

sok *juice*
czarna porzeczka
  *black currant*

ser *cheese*

ryż *rice*
cebula *onion*
pietruszka *parsley*
makaron *pasta*

Nie mam zielonego pojęcia!
*I have absolutely no idea.*

# ćwiczenia
## *exercises*

 **1**

### Co pasuje?
*Underline the correct word.*

1. Ten dzień jest <u>szary</u> | szara | szare.
2. Niebo jest szary | szara | szare.
3. Miasto jest szary | szara | szare.
4. Uwe jest zmęczony | zmęczona | zmęczone.
5. Mami ma fioletowy | fioletowa | fioletowe nos z zimna.
6. Jest tam bar „Biały | Biała | Białe Noc".
7. Jest tam restauracja „Czarny | Czarna | Czarne Kot".
8. A tam jest ulica Szary | Szara | Szare.
9. Tu jest bistro „Kolorowy" | „Kolorowa" | „Kolorowe".
10. Gastronomia to złoty | złota | złote interes.

**2**

### Proszę uzupełnić.
*Fill in the gaps.*

jest | gra | mamy | widzi ✓ | nazywa się | pamiętają | nie ma | chodźmy | rozumie

1. Optymista Javier *widzi* wszystko w różowych kolorach.
2. Teraz *(my)* ............................ czas na lunch.
3. Bistro ............................ „Kolorowe".
4. Tam ............................ ulica Szara.
5. Hej, ............................, mamy zielone!
6. Oni nie ............................, jaki symbol ma męska toaleta.
7. Czy pan ............................? Tak, rozumiem.
8. Mamy pytanie, jaka muzyka ............................ teraz?
9. Kelnerka ............................ zielonego pojęcia.

**3**

### Jakie kolory ma tęcza?
*What are the colours of the rainbow?*

1. ............................
2. ............................
3. ............................
4. ............................
5. ............................
6. *granatowy*
7. ............................

**4  Jaki KOLOR pasuje?**
*Write the colours.*

1.  ..*złota*.... rybka
2.  ............................ dzień
3.  ............................ albo ............................ barszcz
4.  ............................, ............................ albo ............................ wino
5.  sok ............................
6.  ............................ sałata
7.  ............................ albo ............................ kawa
8.  dżem ............................
9.  ............................ albo ............................ papryka
10. ............................ albo ............................ cukier

**5  Proszę uzupełnić tabelę.**
*Fill in the table.*

| kelnerka ✓ | mleko | optymista | bistro | akwarium | pani | noc |
| barszcz | dzień | pytanie | trójkąt | kółko | gitara | ryż | karta |

| ON | ONA | ONO |
|---|---|---|
|  | *kelnerka* |  |
|  |  |  |
|  |  |  |
|  |  |  |

**6  Co pasuje?**
*Underline the correct word.*

1.  Pesymista | <u>optymista</u> widzi wszystko w różowych kolorach.
2.  „Złoty interes" to dobry | zły biznes.
3.  „Mamy zielone" to znaczy stop | chodźmy!
4.  „Czerwony jak burak" to znaczy trochę | bardzo czerwony.
5.  „Nie mam zielonego pojęcia" to znaczy, że nie pamiętam | nie wiem.

# słowniczek
*glossary*

| | polski | English | your notes |
|---|---|---|---|
| **pytanie** *question* | **kto?** | *who?* | ............................ |
| | **co?** | *what?* | ............................ |
| | **czy?** | *to form 'yes/no questions'* | ............................ |
| | **jaki?** | *what... like? (m.)* | ............................ |
| | **jaka?** | *what... like? (f.)* | ............................ |
| | **jakie?** | *what... like? (n.)* | ............................ |
| **rzeczownik** *noun* | **długopis** | *pen* | ............................ |
| | **gumka** | *eraser* | ............................ |
| | **klucz** | *key* | ............................ |
| | **komórka** | *mobile phone* | ............................ |
| | **krzesło** | *chair* | ............................ |
| | **książka** | *book* | ............................ |
| | **kubek** | *mug* | ............................ |
| | **okno** | *window* | ............................ |
| | **ołówek** | *pencil* | ............................ |
| | **płyta** | *CD* | ............................ |
| | **stół** | *table* | ............................ |
| | **tablica** | *whiteboard* | ............................ |
| | **torba** | *bag* | ............................ |
| | **zeszyt** | *notebook* | ............................ |
| **zaimek** *pronoun* | **ten** | *this (m.)* | ............................ |
| | **ta** | *this (f.)* | ............................ |
| | **to** | *this (n.)* | ............................ |

| | | |
|---|---|---|
| **dobry** | *good* | .................................... |
| **zły** | *bad* | .................................... |
| **duży** | *big* | .................................... |
| **mały** | *small* | .................................... |
| **nowy** | *new* | .................................... |
| **stary** | *old* | .................................... |
| **fajny** | *nice* | .................................... |
| **modny** | *fashionable* | .................................... |
| **sympatyczny** | *friendly* | .................................... |
| | | |
| **biały** | *white* | .................................... |
| **brązowy** | *brown* | .................................... |
| **czerwony** | *red* | .................................... |
| **czarny** | *black* | .................................... |
| **fioletowy** | *violet* | .................................... |
| **granatowy** | *navy blue* | .................................... |
| **niebieski** | *blue* | .................................... |
| **pomarańczowy** | *orange* | .................................... |
| **różowy** | *pink* | .................................... |
| **szary** | *grey* | .................................... |
| **zielony** | *green* | .................................... |
| **żółty** | *yellow* | .................................... |

# Japonka

**znany** *well-known*

**i tak dalej** *and so on*

**dlatego** *therefore*
**zawsze** *always*
**czasem** *sometimes*

**rzecz** *thing*
**za** *too*

**chodzić** *go*

**taki sobie** *so so*

Mami mieszka w Polsce tylko miesiąc i widzi, że Japoni
nie jest tutaj **znana**. Oczywiście japońskie sushi, tofu, sumo
karaoke, japońska kaligrafia, ikebana, ceremonia herbacian
**i tak dalej** są modne, bo są egzotyczne. Ale to tylko popularn
symbole kultury.

W Polsce mówi się też, że statystyczny Japończyk jes
pracowity, kulturalny i konserwatywny. To stereotyp czy moż
prawda?

Na pewno japońska kultura i mentalność nie są jak polska
niemiecka, włoska, rosyjska czy amerykańska. W Japonii by
miłym dla innych to priorytet. Tutaj w Polsce Mami też cho
być miła i **dlatego** nie **zawsze** mówi to, co faktycznie myśl
**Czasem** sytuacja robi się komiczna albo skomplikowana. N
przykład:

*Poniedziałek.* Pani Joanna pyta Mami, czy Karolina pal
Mami myśli, że Karolina czasem pali. Ale mówi, że chyba nie
bo Karolina jest aktywna, wysportowana i lubi zdrowe **rzeczy**

*Wtorek.* Nowy żółty sweter jest **za** mały dla Karoliny. Pan
Joanna pyta Mami, czy lubi żółty kolor. Mami myśli, że żółt
jest nieładny, bo jest za intensywny. Ale mówi, że ten kolo
jest interesujący i na pewno bardzo modny. Myśli też, że ni
bardzo lubi swetry, ale dziękuje za prezent.

*Środa.* Pani Joanna mówi, że Adam – ten nowy kolega Karo
la – jest pracowity i robi dużo rzeczy: **chodzi** na dżudo i karate
uczy się japońskiego, kończy kurs kaligrafii i robi bardzo ładn
origami. Mami widzi, że to origami jest **takie sobie**, ale mów
że to prawda: Adam jest na pewno bardzo utalentowany.

*Czwartek.* Karol i Adam grają w gry komputerowe. Ni
słyszą, że dzwoni telefon, ale Mami słyszy i to ona rozmawi
przez telefon z panią Maj. Pani Joanna pyta Mami, co robi Ka
rol, bo jutro klasa Karola ma test z niemieckiego. Mami mów
że Karol i Adam są w pokoju, ale nie wie, co robią, bo drzwi s
zamknięte. Mówi, że chyba uczą się niemieckiego, bo słysz
niemieckie słowa.

CZYTAJ

*Piątek.* Pani Joanna pyta, czy Mami rozumie wszystko na lekcji polskiego i czy rozmawia po polsku na przerwie. Mami na lekcji rozumie tylko trochę, a Angela i Javier na **korytarzu** rozmawiają po angielsku. Ale mówi, że jest świetnie, a grupa jest bardzo sympatyczna i zmotywowana.

korytarz *corridor*

*Sobota.* Pani Joanna mówi, że Mami jest bardzo młoda i ładna, i że w weekend dobrze jest tańczyć, a nie siedzieć w domu i uczyć się. Mami nie lubi tańczyć i myśli, że jest niska, brzydka, **nieciekawa**. Ale mówi, że jest trochę chora, zmęczona i dlatego siedzi w domu.

nieciekawy *uninteresting*

*Niedziela.* Pani Joanna pyta, czy nowy kolega z Argentyny jest miły. Mami nic nie mówi, ale myśli, że Javier jest bardzo miły, przystojny, inteligentny, atrakcyjny, spontaniczny, energiczny, utalentowany, wesoły...

Pani Joanna jeszcze raz pyta, czy Javier jest sympatyczny, bo myśli, że Mami nie rozumie słowa „miły".

– Javier nie jest bardzo interesujący. On jest, hm, taki sobie... – odpowiada Mami i robi się czerwona jak burak. ▸

# ćwiczenia
## *exercises*

 **1**

**Proszę uzupełnić tabelę.**
*Fill in the table.*

| DZIEŃ TYGODNIA | PANI JOANNA PYTA/MÓWI: | MAMI MYŚLI/WIDZI: | MAMI MÓWI: |
|---|---|---|---|
| poniedziałek | | – Tak, Karolina chyba pali. | – Nie wiem, chyba nie. |
| | – Mami, czy lubisz żółty kolor? | | |
| | | | |
| | | | |
| | | | |
| | | | |
| | | | |

**2** Sytuacja hipotetyczna: Mami mówi, co myśli. Jaka jest reakcja pani Joanny?
*A hypothetical situation: Mami says what she thinks. What is Joanna's reaction?*

> Masz rację! | To żart, tak? | Ciekawe… | O matko! | Serio?
> O Boże! | Naprawdę? | Jesteś pewna? ✓ | No nie wiem…
> O nie! | Na pewno? | Absolutnie nie masz racji!

1. – Karolina pali. – *Jesteś pewna?*
2. – Żółty kolor jest fatalny dla mnie. –
3. – Karol i Adam grają, a nie uczą się. –
4. – Origami Adama jest takie sobie. –
5. – Nie rozumiem ani nauczycielki, ani kolegów. –
6. – Jestem brzydka i nieinteresująca. –
7. – Javier jest super. –

**3** JAKI to stereotyp?
*What is this stereotype?*

| 1. | *szwedzki* | stół |
|---|---|---|
| 2. | | sauna |
| 3. | | ruletka |
| 4. | | tango |
| 5. | | ser |
| 6. | | porcelana |
| 7. | | czekolada |
| 8. | | kimono |
| 9. | | bagietka |
| 10. | | wino |
| 11. | | oliwa |
| 12. | | risotto |
| 13. | | piramida |
| 14. | | popcorn |
| 15. | | samba |
| 16. | | piwo |

# 8

# Balkon

🎧 08

wspólny *shared*
część *part*
oranżeria *orangery*
kwiat *flower*
zioło *herb*
pośrodku *in the middle*

drugi *second*

wszyscy *all, everybody*

żart *joke*

Blok, gdzie mieszkają państwo Maj, jest bardzo wysoki. Mieszkanie jest duże, ma też balkon. To plus, bo panorama jest fantastyczna! Ale jest też minus: ten balkon jest **wspólny**.

**Część** państwa Maj jest czysta i zielona, bo pan Maj to pracowity botanik amator. Na balkonie jest mała **oranżeria** – bambus, **kwiaty** i **zioła**: bazylia, rozmaryn, tymianek. Są też stół i krzesła balkonowe. Karol i Karolina lubią się tam uczyć albo siedzieć i nic nie robić. **Pośrodku** balkonu jest niska metalowa barierka.

**Druga** część balkonu jest trochę smutna i brudna… To część pana i pani Nowak. Pan Nowak, sympatyczny mężczyzna średniego wzrostu, pali tam papierosy. Ale problem jest inny.

U państwa Maj mieszka pies (rasa – buldog francuski). Ma na imię Ludwik, ale **wszyscy** mówią „Lulu". A u państwa Nowak mieszka kot (rasa – niebieski rosyjski). Ma na imię Figaro. Lulu i Figaro nie lubią się, klasyczny antagonizm „pies kontra kot". Ale i jeden, i drugi bardzo lubi siedzieć na balkonie.

Kot Figaro ma jedno hobby – lubi grać na nerwach Lulu. Siedzi na barierce i miauczy:

– Jesteś gruby i brzydki jak noc! I stary! Ani inteligentny, ani ambitny!

– A ty jesteś arogancki – Lulu jest zmęczony i apatyczny, nie chce rozmawiać.

– Co mówisz? Jestem elegancki? O tak, i ładny, miły, wesoły, szczupły. Słyszysz? Szczupły, bo jestem wysportowany jak akrobata! Miau, jaki ja jestem fajny!

– Nie jesteś fajny, jesteś młody, to fakt, ale leniwy i niekulturalny. Wrrr… do domu!

– Leniwy kot? To **żart**. Miau! W domu nie rozumieją, co

CZYTAJ

mówię. A ja jestem kreatywny, lubię rozmawiać. Pies to nie jest dobry partner, ale co robić?

**I tak** krok po kroku atmosfera robi się nerwowa. **Jednym słowem** – jest konflikt. Państwo Maj i państwo Nowak słyszą tylko „miau, miau!", „hau, hau!" i faktycznie nic nie rozumieją.

Ale dzisiaj sytuacja jest inna. Figaro prowokuje jak zawsze, a Lulu – zero reakcji. Nic, kompletnie nic. Figaro jest trochę zestresowany.

– Dlaczego Lulu nic nie mówi? Dlaczego leży? Dlaczego ma zamknięte oczy? – myśli kot. – Wiem, on jest chory! **Pomocy!** Miau, miau!!! – **alarmuje** Figaro.

Pan Nowak słyszy, że coś jest nie tak. Wychodzi na balkon i widzi, że Lulu leży i nic.

– Pani Joanno! Karol, Karolina! Jest tam **ktoś**? Pomocy! Lulu ma chyba atak **serca**!

Na balkon wychodzi Mami.

– O, studentka z Japonii, tak? Czy mówi pani po angielsku? Albo po francusku, po hiszpańsku? Może po rosyjsku?

– Mówię tylko po japońsku i trochę po polsku. Po angielsku rozumiem, ale nie mówię dobrze. Czy jest **jakiś** problem? Bo w domu jestem tylko ja.

– Ten pies chyba nie jest zdrowy. Nie pamiętam, gdzie mam numer telefonu do weterynarza. Co robić? Dzwonić na 112? – pan Nowak nerwowo pali papierosa i intensywnie myśli:

– **Pierwsza pomoc**, pierwsza pomoc... nie pamiętam nic! Jak to się robi???

Mami martwi się, ale tylko trochę, bo nie lubi Lulu.

Figaro siedzi obok Lulu i miauczy:

– Przepraszam, **masz rację**, jestem arogancki. Ale ja nie mówię prawdy, jestem fałszywy jak... jak kot! Lulu, proszę, nie chcę być tu **sam**!!! O, Lulu otwiera oczy! Hura, wszystko w porządku! – cieszy się kot.

– „Może jestem stary, gruby i brzydki, ale to ja mam talent aktorski" – myśli Lulu z satysfakcją. – I co teraz? – mówi do Figaro i majestatycznie wchodzi do mieszkania. ▸

---

**i tak** *in this way*
**jednym słowem**
*in one word*

**Pomocy!** *Help!*
**alarmować** *alarm (v.)*

**ktoś** *somebody*
**serce** *heart*

**jakiś** *any*

**pierwsza pomoc**
*first aid*

**mieć rację** *be right*

**sam** *alone*

**1**

**Prawda** *(P)* **czy nieprawda** *(N)?*
*True (P) or false (N)?*

| | P | N |
|---|---|---|
| 1. Blok, gdzie mieszkają państwo Maj, jest niski. | | ✓ |
| 2. Pan Maj lubi kwiaty i zioła. | | |
| 3. Pan Nowak jest bardzo wysoki. | | |
| 4. Lulu to buldog francuski. | | |
| 5. Kot Figaro jest stary, gruby i brzydki. | | |
| 6. Pies i kot lubią siedzieć na balkonie. | | |
| 7. Mami mówi dobrze po angielsku. | | |
| 8. Lulu leży i ma zamknięte oczy. | | |
| 9. Wszyscy myślą, że pies jest chory. | | |
| 10. Kot przeprasza, że jest fałszywy i arogancki. | | |

**2**

**Proszę uzupełnić.**
*Fill in with the words.*

> rozmawiać | mieszkają ✓ | pamiętam | mają | grać | ma
> otwiera | rozumiem | przepraszam | mieszka | rozumieją

1. Blok, gdzie *mieszkają* państwo Maj, jest bardzo wysoki.
2. Państwo Maj .......................... na balkonie kwiaty i zioła.
3. U państwa Maj .......................... pies, rasa: buldog francuski.
4. Kot ............ jedno hobby – lubi ................ na nerwach Lulu.
5. Państwo Nowak nie .........................., co kot Figaro mówi.
6. Kot jest kreatywny i bardzo lubi .................................... .
7. Nie mówię dobrze po angielsku, ale dużo .............................. .
8. Nie .........................., gdzie mam ten numer telefonu.
9. Masz rację, jestem arogancki – bardzo .............................. .
10. O, Lulu .......................... oczy! Hura, wszystko w porządku!

## 3

**Proszę uzupełnić.**
*Fill in with the words.*

> lubią ✓ | mówię | pali | robi | leży | myśli
> wychodzi | słyszą | lubią | robić | mówi

1. Dzieci *lubią* tam siedzieć i nic nie ........................... .
2. Pan Nowak ........................... tam papierosy.
3. Lulu i Figaro nie ........................... się – klasyczny antagonizm.
4. Państwo Maj i Nowak ........................... tylko „miau!", „hau!".
5. Atmosfera ........................... się nerwowa, ale Lulu – nic.
6. Pan Nowak ........................... na balkon.
7. On widzi, że Lulu ........................... i ma zamknięte oczy.
8. Czy ........................... pani po angielsku?
9. *(ja)* ........................... tylko po japońsku i trochę po polsku.
10. On intensywnie ..........................., co robić.

## 4

**Proszę uzupełnić.**
*Fill in with the words.*

1. Blok, gdzie mieszkają państwo Maj, jest bardzo w *y s o k i*.
2. Mieszkanie jest d_ _ _ _, ma też balkon.
3. Część państwa Maj jest cz_ _ _ _ _ _ i zielona.
4. Pan Maj jest p_ _ _ _ _ _ _ _ _ _.
5. Na balkonie jest m_ _ _ _ oranżeria.
6. Część pana i pani Nowak jest b_ _ _ _ _ _ _.
7. Pan Nowak to mężczyzna ś_ _ _ _ _ _ _ _ _ _ wzrostu.
8. Pośrodku jest n_ _ _ _ _ metalowa barierka,
9. Figaro mówi, że Lulu jest g_ _ _ _ _ _ i b_ _ _ _ _ _ _ _ jak noc.
10. Figaro jest sz_ _ _ _ _ _ _ i w_ _ _ _ _ _ _ _ _ _ _ _ _.
11. Lulu mówi, że Figaro jest l_ _ _ _ _ _ _.
12. Oni myślą, że pies jest ch_ _ _ _ _.

# słowniczek
*glossary*

7    8

| polski | English | your notes |
|--------|---------|------------|

**przymiotnik** *adjective*

| polski | English | your notes |
|--------|---------|------------|
| **wysoki** | *tall* | ................................. |
| **niski** | *short* | ................................. |
| **średniego wzrostu** | *medium height* | ................................. |
| **gruby** | *fat* | ................................. |
| **szczupły** | *slim* | ................................. |
| **ładny** | *pretty* | ................................. |
| **brzydki** | *ugly* | ................................. |
| **przystojny** | *handsome* | ................................. |
| **stary** | *old* | ................................. |
| **młody** | *young* | ................................. |
| **zdrowy** | *healthy* | ................................. |
| **chory** | *ill* | ................................. |
| **wesoły** | *happy* | ................................. |
| **smutny** | *sad* | ................................. |
| **czysty** | *clean* | ................................. |
| **brudny** | *dirty* | ................................. |
| **pracowity** | *hard working* | ................................. |
| **leniwy** | *lazy* | ................................. |
| **zmęczony** | *tired* | ................................. |
| **wysportowany** | *sporty* | ................................. |

| | | |
|---|---|---|
| **cieszyć się** | *be happy* | .............................. |
| **dzwonić** | *ring, telephone* | .............................. |
| **kończyć** | *end, finish* | .............................. |
| **lubić** | *like* | .............................. |
| **martwić się** | *worry* | .............................. |
| **mówić** | *speak* | .............................. |
| **myśleć** | *think* | .............................. |
| **palić** | *smoke* | .............................. |
| **robić** | *do, make* | .............................. |
| **siedzieć** | *sit* | .............................. |
| **słyszeć** | *hear* | .............................. |
| **tańczyć** | *dance* | .............................. |
| **uczyć się** | *learn* | .............................. |
| **wchodzić** | *come in* | .............................. |
| **widzieć** | *see* | .............................. |
| **wychodzić** | *go out* | .............................. |

| | | |
|---|---|---|
| **na pewno** | *for sure* | .............................. |
| **chyba** | *perhaps* | .............................. |
| **może** | *maybe* | .............................. |
| | | |
| **ale** | *but* | .............................. |
| **albo** | *or* | .............................. |
| **bo** | *because* | .............................. |
| **że** | *that* | .............................. |

# Torba

🎧 09

gabinet *office*
sejf *safe deposit box*
markowy *brand name*
z *with*

drogi *expensive*
właściciel *owner*

prawo *law*

portfel *wallet*
pieniądze *money*

w środku *in the middle*
zdjęcie *photo*

Komisarz Przemysław Kot ma bardzo mały **gabinet**. Są tam tylko stół, krzesło i **sejf** na dokumenty. Na stole leży duża, brązowo-beżowa, **markowa** torba. Komisarz wie, że to luksusowa francuska marka i że torba **z** tym monogramem może być falsyfikatem. Ale ta torba nie jest imitacją, tylko autentycznym starym modelem! To znaczy, że jest bardzo **droga**. Dlaczego jest tutaj? Gdzie jest **właściciel**?

Młody i ambitny asystent, aspirant Oliwier Nowak, bardzo chce być detektywem. Interesuje się klasyczną literaturą kryminalną i sensacyjną. Uczy się angielskiego, żeby czytać książki kryminalne w oryginale. Jest też studentem, studiuje **prawo**. Teraz ma robić notatki.

– To co? Otwieramy torbę? – pyta komisarz.

– Może tam jest bomba? – pyta Oliwier.

– Nie – mówi komisarz. – Technik jest pewny, że torba jest „czysta". Otwieramy!

W torbie jest dużo rzeczy. Jest **portfel**, są też **pieniądze**: funty i korony.

– To znaczy, że on jest Anglikiem albo Szwedem, bo to szwedzkie korony – mówi Oliwier.

– A dlaczego myślisz, że to jest „on"? – pyta komisarz.

– Metoda dedukcyjna. Ten portfel jest typowym męskim portfelem – mówi Oliwier. – I jest tam też czarno-biała fotografia. Na fotografii są trzy osoby. Myślę, że ta kobieta na fotografii jest mamą, ten pan jest tatą, a ten młody chłopak **w środku** to „on", właściciel torby. Na nosie ma okulary – mają taki sam monogram jak torba i portfel. **Zdjęcie** jest z Paryża, widzi pan? To piramida przed Luwrem. No tak, może on jest Francuzem...

– Interesująca hipoteza. A może on jest tylko turystą? Paryż jest bardzo turystycznym miastem, prawda? – komisarz Kot jest sceptyczny. – Co jest jeszcze w torbie? Hiszpańska gazeta, tak? Może on jest Hiszpanem albo Argentyńczykiem? – pyta z ironią.

Oliwier mówi, że to portugalska gazeta. I że może on jest

Portugalczykiem albo Brazylijczykiem. W torbie jest też książka z biblioteki, stempel jest z Rzymu.

– I co? – pyta komisarz z satysfakcją. – Teraz on jest Włochem?

Oliwier, **który** ma ołówek z logotypem niemieckiego banku, mówi prowokująco:

– Albo Niemcem, panie komisarzu. Jest tam **coś jeszcze**? – pyta.

– Męski T-shirt XXXL. Dobrze, że czysty! Niebiesko–żółty jak ukraińska flaga. Może on jest bardzo wysokim Ukraińcem? O, i jeszcze małe origami. To chyba kot! Bardzo ładny kot! – komisarz cieszy się jak dziecko. – Ciekawe, jak to się robi... Ale on na pewno nie jest Japończykiem. Mamy zdjęcie: to jasne, że nie. Jest Europejczykiem.

– Albo Amerykaninem, panie komisarzu – mówi Oliwier. – Oni bardzo lubią Paryż. O, a tu jest coś specjalnego: mała, ale typowa butelka, chyba z wódką. Prawie wszyscy lubią alkohol, dlatego to kompletnie nic mi nie mówi.

– To prawda. Ale ta etykieta jest po rosyjsku, może on jest Rosjaninem?

Oliwier jest młody i nie zna rosyjskiego, więc pyta, co to znaczy. Komisarz nie pamięta dobrze, jak się czyta po rosyjsku, ale krok po kroku czyta. Potem robi się czerwony jak burak.

– To „coś" nie jest wódką – mówi komisarz z irytacją. – Tekst na etykiecie znaczy: „Chcesz być inteligentnym policjantem? **Pij** dziesięć mililitrów rano i wieczorem." To jakiś żart!?

– Kończymy na dzisiaj? – pyta Oliwier dyplomatycznie, a komisarz Kot z furią **zamyka** torbę. ▸

# ćwiczenia
## *exercises*

**1**

### Co nie pasuje?
*Cross out the odd word.*

1. stół | krzesło | sejf | ~~torba~~
2. komisarz | student | policjant | aspirant
3. rzeczy | pieniądze | funty | korony
4. gazeta | książka | portfel | tekst
5. beżowy | żółty | czysty | czarny
6. Rzym | Paryż | Tokio | Berlin

**2**

### Co pasuje?
*Underline the correct phrase.*

1. Torba z ten monogram | <u>tym monogramem</u> może być falsyfikat | falsyfikatem.
2. Ale ta torba nie jest imitacja | imitacją, jest autentyczny stary model | autentycznym starym modelem.
3. Aspirant Oliwier to młody i ambitny policjant | młodym i ambitnym policjantem.
4. On bardzo chce być detektyw | detektywem.
5. Interesuje się klasyczna literatura kryminalna i sensacyjna | klasyczną literaturą kryminalną i sensacyjną.
6. On jest też student | studentem, studiuje prawo.
7. Ten portfel jest typowy męski portfel | typowym męskim portfelem.
8. Ta kobieta na fotografii jest mama | mamą, a ten pan jest tata | tatą.
9. Chłopak ma na nosie okulary z monogram | monogramem.
10. To piramida przed Luwr | Luwrem.
11. Oliwier ma ołówek z gumka | gumką.
12. To jest mała butelka | małą butelką z wódka | wódką.
13. To coś chyba nie jest wódka | wódką...

**3** *Proszę uzupełnić (narzędnik).*
*Fill in the gaps with Instrumental.*

| W TORBIE JEST/SĄ: | TO ZNACZY, ŻE MOŻE ... |
|---|---|
| 1. funty i szwedzkie korony | on jest *Anglikiem* |
| 2. zdjęcie jest z Paryża | on jest |
| 3. hiszpańska gazeta | on jest |
| 4. portugalska gazeta | on jest |
| 5. książka z biblioteki z Rzymu | on jest |
| 6. ołówek z niemieckiego banku | on jest |
| 7. żółto-niebieski męski T-shirt | on jest |
| 8. małe origami | on jest |
| 9. butelka z etykietą po rosyjsku | on jest |

**4** *Proszę uzupełnić (narzędnik).*
*Fill in the gaps with Instrumental.*

Hiszpanka | Portugalka | Rosjanka | Niemka | Francuzka | Szwedka
Ukrainka | Japonka | Włoszka | Brazylijka | Argentynka | Angielka ✓

W portfelu są pieniądze: funty i szwedzkie korony. To znaczy, że może
ona jest *Angielką* albo ............................. . Zdjęcie jest z Paryża,
to piramida przed Luwrem. Może ona jest .............................? Tam
jeszcze jest hiszpańska gazeta. Może ona jest .............................
albo .............................? A może to portugalska gazeta i ona jest
............................. albo .............................? W torbie jest też książka
z biblioteki, stempel jest z Rzymu. Może ona jest .............................?
Tu jest ołówek z logotypem niemieckiego banku. Może ona jest
.............................? Jest też żółto-niebieski damski T-shirt. Może ona jest
.............................? Tam jeszcze jest małe origami, ale ona na pewno nie
jest ............................. . Jest też mała butelka z etykietą po rosyjsku,
może ona jest .............................?

# Amadeusz

 10

**toksyczny** *toxic*

Jest Nowy Rok. Dzisiaj Amadeusz Nowak kończy 60 lat. Czy to dobry moment na bilans? Żona Konstancja mówi, że tak. Ona jest lekarką, a konkretnie psychiatrą. Ona mówi też, że Amadeusz ma chore i **toksyczne** relacje z matką, że matka jest despotką i terrorystką. I że on ma 60 lat, a jest jak dziecko – co mama mówi, to Amadeusz robi. Amadeusz nic nie mówi. Wychodzi na balkon i pali papierosa, ale intensywnie myśli o rodzinie. Dzwoni komórka.

– Dzień dobry, synu. Sto lat! Dużo zdrowia! Co u ciebie, co robisz dzisiaj?

– Dziękuję, wszystko w porządku. Ale teraz nie mam czasu rozmawiać, pracuję. Przepraszam, mamo. Pa, **do usłyszenia**!

**do usłyszenia** *bye*

Mama… – myśli Amadeusz. – Ma na imię Zofia. Jest bardzo elegancka, regularnie chodzi do fryzjera i do kosmetyczki. Ona ma 82 lata, ale normalnie mówi, że ma tylko 79 lat. Jest emerytowaną nauczycielką i bardzo ambitną kobietą. Lubi mieć rację, to fakt. Interesuje się sztuką **nowoczesną**, kinem skandynawskim, językami. Na pewno nie jest typową polską emerytką.

**nowoczesny** *modern*

Tata… Jest emerytowanym urzędnikiem. To spokojny i **małomówny** mężczyzna. Ma prawie 90 lat, ale jest zdrowy i wysportowany. Lubi spacerować i chodzić na gimnastykę dla seniorów. Ma na imię Felicjan.

**małomówny** *quiet*

**ich** *their, theirs*

Komiczne jest to, że trzy imiona **ich** dzieci: Amadeusz, Teofil i Bogumił, znaczą to samo! Mama nie jest religijną osobą, ale ona myśli, że imię jest magiczne, że może programować **życie**.

**życie** *life*

Amadeusz pamięta taki dzień:

Mama i tata siedzą przed telewizorem. Amadeusz ma 10 lat, czyta **ulubiony** komiks. Ale słyszy, jak mama mówi:

**ulubiony** *favourite*

– Teofil może być adwokatem albo notariuszem, generalnie **prawnikiem**. Jest przystojny, inteligentny, lubi być w centrum zainteresowania. Bogumił interesuje się naturą, nie lubi miasta, więc Bogumił może być rolnikiem…

**prawnik** *lawyer*

**mam być**
*I'm supposed to be*

– A ja, mamo? Kim ja **mam być**? – pyta Amadeusz.

CZYTAJ

– A lubisz grać? – pyta mama.

– Bardzo! **Mogę** grać non stop!

– Moment, on lubi grać w karty, a nie na pianinie – reaguje tata.

– A co ty tam wiesz? – kończy dyskusję mama. – Amadeusz **musi** być muzykiem, koniec kropka.

móc *can*

musieć *must*

Brat Teofil... Dzisiaj ma 55 lat, jest kelnerem w barze „Adwokat". Lubi programy kulinarne, chce pracować jako zawodowy kucharz, może szef kuchni? Jego żona jest informatykiem w dużej korporacji. Syn jest dziennikarzem katolickiej gazety, a córka jest inżynierem i pracuje w Teksasie.

Brat Bogumił.... Ma kiosk z kwiatami, jest znanym florystą. Lubi tańczyć swinga, ale nie jest dobrym tancerzem, bo jest trochę za gruby. Jest też aktorem amatorem, gra w prywatnym teatrze. Ma 53 lata, ale mieszka z mamą i z tatą.

Amadeusz ma troje dzieci. Ich imiona nie są „magiczne", ale oryginalne i wszystkie na literę „O".

Córka Amadeusza, Olga, ma 40 lat. Z zawodu jest dentystką. Teraz interesuje się fotografią, bo jej nowy partner jest fotografem. Syn Olaf ma 33 lata. Jest świetnym muzykiem i lubi eksperymenty, interesuje się też **współczesnym** teatrem i tańcem. Jest trochę autodestrukcyjny, a jego mama martwi się, że to kompleksy. Drugi syn, Oliwier, ma 24 lata. Jest młody i bardzo zero-jedynkowy: wszystko jest albo białe, albo czarne. Może dobrze, że on pracuje jako policjant? Od dziecka interesuje się książkami kryminalnymi i bardzo chce być detektywem. Jest też studentem, studiuje prawo.

współczesny *contemporary*

**Przyjaciele**? Hm, tylko kot Figaro. Ma 5 lat. To prezent od dzieci. Amadeusz i Figaro rozumieją się **bez** słów.

przyjaciel *friend*
bez *without*

Jest też oczywiście to mieszkanie – nowe, bo ma tylko rok. **Samochód** jest stary, ma 13 lat, nic specjalnego. I to wszystko, co Amadeusz ma.

samochód *car*

A, i jest jeszcze praca: kasyno w hotelu „Mozart". ▸

# ćwiczenia
*exercises*

**1** **Proszę odpowiedzieć na pytania.**
*Answer the questions.*

1. Ile lat kończy Amadeusz Nowak? *On kończy 60 lat.*
2. Kim z zawodu jest jego żona? .................................................
3. Jaka jest jego mama? .................................................
   .................................................
4. Jaki jest jego tata? .................................................
   .................................................
5. Czy jego brat Teofil jest adwokatem? .................................................
   .................................................
6. Kim z zawodu jest jego brat Bogumił? .................................................
7. Z kim mieszka Bogumił? .................................................
8. Ile dzieci mają Amadeusz i Konstancja? .................................................
9. Czy Figaro to pies? .................................................
10. Co robi Oliwier? .................................................
    .................................................

**2** **Co pasuje: lat czy lata?**
*Fill in the gaps with 'lat' or 'lata'.*

1. To mieszkanie jest bardzo nowe, bo ma tylko (1) *rok* .
2. Kot Figaro ma 5 ............, to prezent od dzieci.
3. Mały Amadeusz ma 10 ............, lubi grać w karty i czytać.
4. Samochód jest stary, ma 13 ............, nic specjalnego.
5. Drugi syn, Oliwier, jest jeszcze młody, ma 24 ............ .
6. Syn Olaf ma 33 ............ i jest bardzo autodestrukcyjny.
7. Córka Olga ma 40 ............, jest dentystką.
8. Brat Bogumił ma 53 ............, ale mieszka z mamą i z tatą.
9. Brat Teofil dzisiaj ma 55 ............ i jest kelnerem.
10. Amadeusz Nowak kończy 60 ............ .
11. Mama ma 82 ............, ale ona mówi, że ma tylko 79 ............ .
12. Tata ma prawie 90 ............, ale jest zdrowy i wysportowany.
13. Sto ............ z okazji urodzin!

**3**

**Proszę uzupełnić.**
*Fill in the table.*

| ON JEST... | ONA JEST... |
|---|---|
| 1. lekarzem, konkretnie psychiatrą | *lekarką, konkretnie psychiatrą* |
| 2. despotą i terrorystą | |
| 3. emerytowanym nauczycielem | |
| 4. ambitnym mężczyzną | |
| 5. typowym emerytem | |
| 6. | urzędniczką |
| 7. religijną osobą | |
| 8. | prawniczką |
| 9. | muzykiem |
| 10. | kelnerką |
| 11. | dziennikarką |
| 12. inżynierem | |
| 13. | kucharką |
| 14. | aktorką amatorką |
| 15. dentystą | |
| 16. | policjantką |

**4**

**Czym oni się interesują?**
*What are they interested in?*

1. Amadeusz interesuje się     a sportem
2. mama Zofia interesuje się     b muzyką eksperymentalną
3. tata Felicjan interesuje się     c kuchnią
4. brat Teofil interesuje się     d fotografią
5. brat Bogumił interesuje się     e kartami
6. córka Olga interesuje się     f literaturą kryminalną
7. syn Olaf interesuje się     g sztuką, filmem, językami
8. syn Oliwier interesuje się     h kwiatami, tańcem, teatrem

# słowniczek
## glossary

| polski | English | your notes |
|---|---|---|
| **kim?** | *who? (Instrumental)* | ............................ |
| **czym?** | *what? (Instrumental)* | ............................ |
| **ile?** | *how many?* | ............................ |
| | *how much?* | |

*pytanie / question*

| polski | English | your notes |
|---|---|---|
| **aktor** | *actor* | ............................ |
| **biznesmen** | *businessman* | ............................ |
| **dentysta** | *dentist* | ............................ |
| **dziennikarz** | *journalist* | ............................ |
| **emeryt** | *pensioner* | ............................ |
| **fotograf** | *photographer* | ............................ |
| **informatyk** | *IT specialist* | ............................ |
| **inżynier** | *engineer* | ............................ |
| **kelner** | *waiter* | ............................ |
| **kierowca** | *driver* | ............................ |
| **kucharz** | *cook* | ............................ |
| **lekarz** | *doctor* | ............................ |
| **malarz** | *painter* | ............................ |
| **muzyk** | *musician* | ............................ |
| **nauczyciel** | *teacher* | ............................ |

*rzeczownik / noun*

| | | |
|---|---|---|
| **policjant** | *police officer* | ............................... |
| **prawnik** | *lawyer* | ............................... |
| **rolnik** | *farmer* | ............................... |
| **taksówkarz** | *taxi driver* | ............................... |
| **tancerz** | *dancer* | ............................... |
| **urzędnik** | *clerk* | ............................... |
| | | |
| **zawód** | *profession* | ............................... |
| | | |
| **rok** | *year* | ............................... |
| **lat/lata** | *years* | ............................... |
| | | |
| **język** | *language* | ............................... |
| **malarstwo** | *painting* | ............................... |
| **sztuka** | *art* | ............................... |

| | | |
|---|---|---|
| **interesować się** | *be interested in* | ............................... |
| **malować** | *paint* | ............................... |
| **umieć** | *can, be able to* | ............................... |

# słowniczek
## *glossary*

## A-Ż

| polski | English | your notes |
|--------|---------|------------|
| **a** | *and* | |
| **aktor** | *actor* | |
| **aktualnie** | *currently* | |
| **alarmować** | *alarm (v.)* | |
| **albo** | *or* | |
| **ale** | *but* | |
| **aleja** | *avenue* | |
| **Anglia** | *England* | |
| **apteka** | *chemist's* | |
| **Austria** | *Austria* | |
| **bagaż** | *luggage* | |
| **bardzo** | *very* | |
| **bez** | *without* | |
| **biały** | *white* | |
| **biznesmen** | *businessman* | |
| **blisko** | *near* | |
| **bo** | *because* | |
| **brat** | *brother* | |
| **brązowy** | *brown* | |
| **brudny** | *dirty* | |
| **brzydki** | *ugly* | |
| **burak** | *beetroot* | |
| **być** | *be* | |
| **cebula** | *onion* | |
| **chcieć** | *want* | |
| **chłopak** | *boy* | |
| **chodzić** | *go* | |
| **chory** | *ill* | |
| **chyba** | *perhaps* | |

A
B
C

| | | |
|---|---|---|
| **cieszyć się** | be happy | ................................. |
| **co?** | what? | ................................. |
| **co słychać?** | how are you? | ................................. |
| **coś** | something | ................................. |
| **coś jeszcze?** | anything else? | ................................. |
| **cukier** | sugar | ................................. |
| **czarna porzeczka** | black currant | ................................. |
| **czarny** | black | ................................. |
| **czasem** | sometimes | ................................. |
| **czekać** | wait | ................................. |
| **czerwony** | red | ................................. |
| **część** | part | ................................. |
| **czuć się** | feel | ................................. |
| **czy?** | to form 'yes/no questions' | ................................. |
| **czym?** | what? (Instrumental) | ................................. |
| **czysty** | clean | ................................. |
| **damski** | for ladies | ................................. |
| **dentysta** | dentist | ................................. |
| **dla ciebie** | for you | ................................. |
| **dla mnie** | for me | ................................. |
| **dlaczego?** | why? | ................................. |
| **dlatego** | therefore | ................................. |
| **długopis** | pen | ................................. |
| **dobry** | good | ................................. |
| **dobrze** | well | ................................. |
| **do usłyszenia** | bye | ................................. |
| **drogi** | expensive | ................................. |
| **drugi** | second | ................................. |
| **drzwi** | door | ................................. |
| **duży** | big | ................................. |
| **dzwonek** | ring tone | ................................. |
| **dworzec** | railway station | ................................. |
| **dzielnica** | district | ................................. |

D

| | | |
|---|---|---|
| **dziennikarz** | *journalist* | ............................ |
| **dzień** | *day* | ............................ |
| **dziewczyna** | *girl* | ............................ |
| **dzięki** | *thanks* | ............................ |
| **dzisiaj** | *today* | ............................ |
| **dzwonić** | *ring, telephone (v.)* | ............................ |
| **dyrektor** | *manager* | ............................ |
| **E** **emeryt** | *pensioner* | ............................ |
| **F** **fajny** | *nice* | ............................ |
| **fioletowy** | *violet* | ............................ |
| **firma** | *company* | ............................ |
| **fotograf** | *photographer* | ............................ |
| **Francja** | *France* | ............................ |
| **fryzjer** | *hairdresser* | ............................ |
| **G** **gabinet** | *office* | ............................ |
| **gdzie?** | *where?* | ............................ |
| **główny** | *main* | ............................ |
| **grać** | *play* | ............................ |
| **gotowy** | *ready* | ............................ |
| **granatowy** | *navy blue* | ............................ |
| **gruby** | *fat* | ............................ |
| **gumka** | *eraser* | ............................ |
| **H** **herbata** | *tea* | ............................ |
| **Hiszpania** | *Spain* | ............................ |
| **I** **ich** | *their, theirs* | ............................ |
| **ile?** | *how many? how much?* | ............................ |
| **imię** | *name* | ............................ |
| **informatyk** | *IT specialist* | ............................ |
| **inny** | *other* | ............................ |
| **i tak dalej** | *and so on* | ............................ |
| **interesować się** | *be interested in* | ............................ |
| **inżynier** | *engineer* | ............................ |
| **J** **jak?** | *how?* | ............................ |
| **jaki?** | *what... like?* | ............................ |

| | | |
|---|---|---|
| **jakiś** | *any* | .................... |
| **jasny** | *obvious* | .................... |
| **jego** | *his* | .................... |
| **jej** | *her, hers* | .................... |
| **jeszcze** | *still* | .................... |
| **jeszcze nie** | *yet* | .................... |
| **jeszcze raz** | *once again* | .................... |
| **język** | *language* | .................... |
| **jutro** | *tomorrow* | .................... |
| **K**  **karta dań** | *menu* | .................... |
| **kartka** | *a sheet of paper* | .................... |
| **kawa** | *coffee* | .................... |
| **kelner** | *waiter* | .................... |
| **kiedy** | *when* | .................... |
| **kierowca** | *driver* | .................... |
| **kim?** | *who? (Instrumental)* | .................... |
| **klucz** | *key* | .................... |
| **kobieta** | *woman* | .................... |
| **kolega** | *male friend* | .................... |
| **koleżanka** | *female friend* | .................... |
| **komórka** | *mobile phone* | .................... |
| **kończyć** | *end, finish (v.)* | .................... |
| **korytarz** | *corridor* | .................... |
| **kółko** | *circle* | .................... |
| **krok** | *step* | .................... |
| **kropka** | *dot* | .................... |
| **krzesło** | *chair* | .................... |
| **książka** | *book* | .................... |
| **ktoś** | *somebody* | .................... |
| **który** | *which* | .................... |
| **kubek** | *mug* | .................... |
| **kucharz** | *cook (n.)* | .................... |
| **kto?** | *who?* | .................... |
| **kwiat** | *flower* | .................... |

| | | |
|---|---|---|
| **L** | **lat/lata** | *year/years* |
| | **lekcja** | *lesson* |
| | **leniwy** | *lazy* |
| | **liczyć** | *count* |
| | **litera** | *letter* |
| | **Londyn** | *London* |
| | **lubić** | *like* |
| | **lekarz** | *doctor* |
| **Ł** | **ładny** | *pretty* |
| **M** | **makaron** | *pasta* |
| | **malarstwo** | *painting* |
| | **malarz** | *painter* |
| | **malować** | *paint* |
| | **małomówny** | *quiet* |
| | **małżeństwo** | *married couple* |
| | **mały** | *small* |
| | **markowy** | *brand name* |
| | **martwić się** | *worry about* |
| | **mieć rację** | *be right* |
| | **metro** | *underground* |
| | **męski** | *for gentlemen* |
| | **mężczyzna** | *man* |
| | **miasto** | *city, town* |
| | **mieć** | *have* |
| | **miesiąc** | *month* |
| | **mieszkać** | *live* |
| | **mieszkanie** | *flat (n.)* |
| | **międzynarodowy** | *international* |
| | **miło** | *nice* |
| | **młody** | *young* |
| | **modny** | *fashionable* |
| | **Moskwa** | *Moscow* |
| | **może** | *maybe* |
| | **móc** | *can* |

| | | |
|---|---|---|
| **mój** | *my, mine* | ................................. |
| **mówić** | *speak* | ................................. |
| **musieć** | *must* | ................................. |
| **muzyk** | *musician* | ................................. |
| **myśleć** | *think* | ................................. |
| **N**  **na lewo** | *on the left* | ................................. |
| **na pewno** | *for sure* | ................................. |
| **napisać** | *write* | ................................. |
| **na prawo** | *on the right* | ................................. |
| **na przykład** | *for example* | ................................. |
| **narodowy** | *national* | ................................. |
| **narodowość** | *nationality* | ................................. |
| **na serio** | *seriously, for real* | ................................. |
| **nauczyciel** | *teacher* | ................................. |
| **nazwisko** | *surname* | ................................. |
| **nazywać się** | *be called* | ................................. |
| **niebieski** | *blue* | ................................. |
| **niebo** | *sky* | ................................. |
| **nieciekawy** | *uninteresting* | ................................. |
| **nie ma za co** | *not at all* | ................................. |
| **Niemcy** | *Germany* | ................................. |
| **niski** | *short* | ................................. |
| **noc** | *night* | ................................. |
| **nos** | *nose* | ................................. |
| **nowoczesny** | *modern* | ................................. |
| **nowy** | *new* | ................................. |
| **O**  **obok** | *next to* | ................................. |
| **okno** | *window* | ................................. |
| **okulary** | *glasses* | ................................. |
| **ołówek** | *pencil* | ................................. |
| **oranżeria** | *orangery* | ................................. |
| **osoba** | *person* | ................................. |
| **osobowość** | *personality* | ................................. |
| **otwarty** | *open* | ................................. |

| | | |
|---|---|---|
| **otwierać** | *open (v.)* | .................... |
| **P** **palić** | *smoke (v.)* | .................... |
| **pamiątka** | *souvenir* | .................... |
| **pamięć** | *memory* | .................... |
| **pamiętać** | *remember* | .................... |
| **pan** | *Mister* | .................... |
| **pani** | *Madam* | .................... |
| **państwo** | *country; Mr and Mrs* | .................... |
| **Paryż** | *Paris* | .................... |
| **personel** | *staff* | .................... |
| **pieniądze** | *money* | .................... |
| **pierwsza pomoc** | *first aid* | .................... |
| **pierwszy** | *first* | .................... |
| **pietruszka** | *parsley* | .................... |
| **pić** | *drink (v.)* | .................... |
| **plac** | *square (n.)* | .................... |
| **płyta** | *CD* | .................... |
| **poczekać** | *wait* | .................... |
| **poczucie humoru** | *a sense of humour* | .................... |
| **podpisać się** | *sign (v.)* | .................... |
| **pokój** | *room (n.)* | .................... |
| **policjant** | *police officer* | .................... |
| **pomarańczowy** | *orange (adj.)* | .................... |
| **pomoc** | *help (n.)* | .................... |
| **po prostu** | *simply* | .................... |
| **portfel** | *wallet* | .................... |
| **pośrodku** | *in the middle* | .................... |
| **powtórzyć** | *repeat* | .................... |
| **później** | *later* | .................... |
| **pracować** | *work (v.)* | .................... |
| **pracowity** | *hard working* | .................... |
| **praktyka** | *apprenticeship* | .................... |
| **prawnik** | *lawyer* | .................... |
| **przeczytać** | *read* | .................... |

| | | |
|---|---|---|
| **przedstawiać się** | *introduce oneself* | ............................... |
| **przeliterować** | *spell* | ............................... |
| **przerwa** | *break (n.)* | ............................... |
| **przewodnik** | *tourguide* | ............................... |
| **przyjaciel** | *friend* | ............................... |
| **przystojny** | *handsome* | ............................... |
| **pytać** | *ask* | ............................... |
| **pytanie** | *question (n.)* | ............................... |

**R**

| | | |
|---|---|---|
| **raz** | *once* | ............................... |
| **razem** | *together* | ............................... |
| **robić** | *do, make* | ............................... |
| **rodzina** | *family* | ............................... |
| **rok** | *year* | ............................... |
| **rolnik** | *farmer* | ............................... |
| **Rosja** | *Russia* | ............................... |
| **rozumieć** | *understand* | ............................... |
| **również** | *as well, too* | ............................... |
| **różowy** | *pink* | ............................... |
| **ryba** | *fish* | ............................... |
| **ryż** | *rice* | ............................... |
| **rzecz** | *thing* | ............................... |
| **rzeczywistość** | *reality* | ............................... |
| **Rzym** | *Rome* | ............................... |

**S**

| | | |
|---|---|---|
| **sam** | *alone* | ............................... |
| **samochód** | *car* | ............................... |
| **sejf** | *safe deposit box* | ............................... |
| **ser** | *cheese* | ............................... |
| **serce** | *heart* | ............................... |
| **seria** | *a series of* | ............................... |
| **siedzieć** | *sit* | ............................... |
| **siostra** | *sister* | ............................... |
| **skąd?** | *where... from?* | ............................... |
| **sklep** | *shop (n.)* | ............................... |
| **słownik** | *dictionary* | ............................... |

| | | |
|---|---|---|
| **słowo** | _word_ | ............................. |
| **słyszeć** | _hear_ | ............................. |
| **smutny** | _sad_ | ............................. |
| **sok** | _juice_ | ............................. |
| **spacer** | _walk (n.)_ | ............................. |
| **srebrny** | _silver_ | ............................. |
| **Stany Zjednoczone** | _the USA_ | ............................. |
| **stary** | _old_ | ............................. |
| **stół** | _table_ | ............................. |
| **studiować** | _study_ | ............................. |
| **sympatyczny** | _friendly_ | ............................. |
| **szary** | _grey_ | ............................. |
| **szczególnie** | _especially_ | ............................. |
| **szczupły** | _slim_ | ............................. |
| **szef** | _boss_ | ............................. |
| **szkoła** | _school_ | ............................. |
| **sztuka** | _art_ | ............................. |

| | | |
|---|---|---|
| **średniego wzrostu** | _medium height_ | ............................. |
| **świetnie** | _fantastic_ | ............................. |

T

| | | |
|---|---|---|
| **ta** | _this (f.)_ | ............................. |
| **tablica** | _whiteboard_ | ............................. |
| **taki sobie** | _so so_ | ............................. |
| **tam** | _over there_ | ............................. |
| **tańczyć** | _dance (v.)_ | ............................. |
| **taki sam** | _the same_ | ............................. |
| **taksówkarz** | _taxi driver_ | ............................. |
| **tancerz** | _dancer_ | ............................. |
| **temat** | _topic_ | ............................. |
| **ten** | _this (m.)_ | ............................. |
| **teraz** | _now_ | ............................. |
| **też** | _as well, too_ | ............................. |
| **tęcza** | _rainbow_ | ............................. |
| **to** | _this (n.)_ | ............................. |
| **toksyczny** | _toxic_ | ............................. |

| | | | |
|---|---|---|---|
| **torba** | bag | ..................................... | |
| **to wszystko** | that's all | ..................................... | |
| **trochę** | a little | ..................................... | |
| **trójkąt** | triangle | ..................................... | |
| **tutaj/tu** | here | ..................................... | |
| **twój** | your, yours | ..................................... | |
| **tylko** | only | ..................................... | |
| **typowy** | typical | ..................................... | |
| **U** **uczyć się** | learn | ..................................... | |
| **ulica** | street | ..................................... | |
| **ulubiony** | favourite | ..................................... | |
| **umieć** | can, be able to | ..................................... | |
| **urzędnik** | clerk | ..................................... | |
| **uwaga** | attention | ..................................... | |
| **W** **w/we** | in, on | ..................................... | |
| **warsztat językowy** | language workshop | ..................................... | |
| **wchodzić** | come in | ..................................... | |
| **wesoły** | happy | ..................................... | |
| **widzieć** | see | ..................................... | |
| **wieczór** | evening | ..................................... | |
| **Wiedeń** | Vienna | ..................................... | |
| **wiedzieć** | know | ..................................... | |
| **więc** | so | ..................................... | |
| **właściciel** | owner | ..................................... | |
| **Włochy** | Italy | ..................................... | |
| **woda** | water | ..................................... | |
| **w porządku** | all right | ..................................... | |
| **wspólny** | shared | ..................................... | |
| **współczesny** | contemporary | ..................................... | |
| **wszyscy** | all, everybody | ..................................... | |
| **wszystko** | everything | ..................................... | |
| **wszystko jedno** | it doesn't matter | ..................................... | |
| **w środku** | in the middle | ..................................... | |
| **wychodzić** | go out | ..................................... | |

| | | |
|---|---|---|
| **wycieczka** | *trip* | .................................. |
| **wysoki** | *tall* | .................................. |
| **wysportowany** | *sporty* | .................................. |
| **z** | *from, with* | .................................. |
| **za** | *behind* | .................................. |
| **zaangażowany** | *involved* | .................................. |
| **zamknięty** | *closed* | .................................. |
| **zamykać** | *shut* | .................................. |
| **zawód** | *profession* | .................................. |
| **zawsze** | *always* | .................................. |
| **zdenerwowany** | *irritated* | .................................. |
| **zdjęcie** | *photo* | .................................. |
| **zdrowy** | *healthy* | .................................. |
| **zeszyt** | *notebook* | .................................. |
| **zielony** | *green* | .................................. |
| **Ziemia** | *Earth* | .................................. |
| **zimny** | *cold* | .................................. |
| **zioło** | *herb* | .................................. |
| **znaczyć** | *mean* | .................................. |
| **złoty** | *gold* | .................................. |
| **złoty interes** | *a sweet deal* | .................................. |
| **zły** | *bad* | .................................. |
| **zmęczony** | *tired* | .................................. |
| **znaczenie** | *importance* | .................................. |
| **znany** | *well-known* | .................................. |
| **znowu** | *again* | .................................. |
| **źle** | *badly* | .................................. |
| **żart** | *joke* | .................................. |
| **że** | *that* | .................................. |
| **żeby** | *in order to* | .................................. |
| **żółty** | *yellow* | .................................. |
| **życie** | *life* | .................................. |

The left margin shows the letter markers: **Z** (next to "z"), and **Ź / Ż** (next to "źle" / "żart").

CZYTAJ

# klucz odpowiedzi
## answer key

### 1
1. **1.** 007; **2.** 9; **3.** 4; **4.** 5, 6; **5.** 4 albo 8; **6.** +48 12 615 29 13
2. **1.** N; **2.** N; **3.** P; **4.** P; **5.** N; **6.** P; **7.** P
3. **1.** przepraszam; **2.** pytanie; **3.** jeszcze raz; **4.** rozumiem; **5.** paszport; **6.** zmęczony; **7.** proszę; **8.** gdzie; **9.** ulica; **10.** nazywam się; **11.** dobranoc; **12.** sytuacja
4. **1.** nie; **2.** Do widzenia!; **3.** Dobranoc!; **4.** noc; **5.** na lewo; **6.** tam; **7.** nazwisko; **8.** twój; **9.** plus
5. *poziomo:* ▶ **7.** siedem; **1.** jeden; **10.** dziesięć; **6.** sześć; **2.** dwa; **3.** trzy; *pionowo:* ▼ **4.** cztery; **9.** dziewięć; **8.** osiem; **5.** pięć

### 2
1. jest; polsku; wieczór; lewo; znaczy; herbata; tylko
2. zdenerwowany; jest; w; prawo; stadion; pamiętam
3. **1.** 4; **2.** 3; **3.** 10; **4.** 5; **5.** +48 693 578 241
4. *pytania przykładowe:* **1.** – Woda?; **2.** – Jak się pan nazywa?; **3.** – Proszę przeliterować.; **4.** – Adres?/Jaki ma pan adres?; **5.** – Numer telefonu?/Jaki ma pan numer telefonu?
5. **1.** wieczór; **2.** problem; **3.** problemu; **4.** paszport; **5.** paszportu; **6.** adres; **7.** adresu; **8.** Krakowie; **9.** polsku; **10.** telefonu
6. poniedziałek; wtorek; środa; czwartek; piątek; sobota; niedziela

### 3
1. **1.** jesteśmy; **2.** jest; **3.** jesteście; **4.** jest; **5.** są; **5.** Jestem; **6.** Jesteś; **7.** jest
2. *odpowiedzi przykładowe:* **1.** A | Anna | Austria | Amsterdam | *Anna jest z Austrii, ale teraz mieszka w Amsterdamie*; **2.** H | Helena | Hiszpania | Hamburg | *Helena jest z Hiszpanii, ale teraz mieszka w Hamburgu*; **3.** R | Robert | Rosja | Rzym | *Robert jest z Rosji, ale teraz mieszka w Rzymie*; **4.** P | Piotr | Polska | Paryż | *Piotr jest z Polski, ale teraz mieszka w Paryżu*; **5.** B | Barbara | Brazylia | Berlin | *Barbara jest z Brazylii, ale teraz mieszka w Berlinie*
3. **1.** ma; **2.** mają; **3.** mam; **4.** masz; **5.** mam; **6.** macie; **7.** Mamy; **8.** ma
4. *odpowiedzi przykładowe:* **1.** gitara, gram, grają, mają, tam, ma, ja, mi; **2.** pan, pani, panie, on, ona, ono, oni, one, do, ja, nie; **3.** my, ty, ja, jest, jestem, jesteś, jesteśmy, tam; **4.** gdzie, dzień, dzięki, imię; **5.** uczy, uczysz, tu, się, ty; **6.** telefon, on, one, bo, też, to, ty, żeby

### 4
1. **1.** Jak ma na imię chłopak Karoliny?; **2.** Gdzie Patryk jest teraz?; **3.** Dlaczego on teraz jest w Warszawie?; **4.** Skąd jest szef?; **5.** Gdzie szef teraz mieszka?; **6.** Skąd jest sekretarka?; **7.** Dlaczego mama Patryka mieszka w Berlinie?
2. **1.** ma; **2.** mieszka; **3.** pyta; **4.** Gramy, gramy; **5.** wie; **6.** mieszka, ma; **7.** mieszkają; **8.** wie; **9.** pamięta; **10.** się nazywasz, pyta
3. **1.** w Brukseli; **2.** w Londynie; **3.** w Berlinie; **4.** w Paryżu; **5.** w Barcelonie; **6.** w Rzymie; **7.** w Moskwie; **8.** w Nowym Jorku; **9.** w Krakowie
4. **1.** 14/19; **2.** 10,15; **3.** 25; **4.** 7; **5.** 12; **6.** 16
5. **1.** międzynarodowa; **2.** Narodowa; **3.** narodowość; **4.** międzynarodowy

### 5
1. **1.** Co to jest?; **2.** Czy ta rodzina jest fajna?; **3.** Jaki jest pokój?; **4.** Jaki jest kod do alarmu?; **5.** Gdzie jest karton?; **6.** Gdzie są okulary?; **7.** Co pamięta pan Grzegorz?/Co mówi Hamlet?; **8.** Czy to jest pamiątka z Krakowa?; **9.** Jaka jest gumka?
2. *MÓJ:* zeszyt, pokój, słownik, tata, artykuł, kubek; *MOJA:* książka, rodzina, torba, komórka, generacja; *MOJE:* archiwum, mieszkanie, auto, państwo
3. **1.** niesympatyczny; **2.** stary; **3.** otwarty; **4.** duży; **5.** zły
4. **1.** polska; **2.** komfortowe; **3.** duży;

4. praktyczna, korkowa; 5. nowe; 6. prywatne;
7. duży; 8. stary; 9. pierwsza; 10. mały;
11. mały; 12. stary; 13. szkolna; 14. teatralny;
15. mały; 16. aktorski; 17. modna; 18. stara;
19. metalowy; 20. staromodny; 21. romantyczna;
22. duża czarna; 23. stare dobre; 24. nowa;
25. chiński; 26. socjalistyczne; 27. nowa;
28. szara

5. *odpowiedzi przykładowe:* 1. Jaka jest twoja rodzina? Moja rodzina jest duża.; 2. Jakie jest twoje mieszkanie? Moje mieszkanie jest małe.;
3. Jaki jest twój pokój? Mój pokój jest komfortowy.; 4. Jaki jest twój słownik? Mój słownik jest praktyczny.; 5. Jaki jest twój tata? Mój tata jest miły.; 6. Jaka jest twoja książka? Moja książka jest nowa.; 7. Jaka jest twoja torba? Moja torba jest stara.; 8. Jakie jest twoje auto? Moje auto jest małe.; 9. Jaka jest twoja komórka? Moja komórka jest dobra.; 10. Jakie jest twoje państwo? Moje państwo jest duże.

# 6

1. 1. szary; 2. szare; 3. szare; 4. zmęczony;
5. fioletowy; 6. Biała; 7. Czarny; 8. Szara;
9. Kolorowe; 10. złoty

2. 1. widzi; 2. mamy; 3. nazywa się; 4. jest;
5. chodźmy; 6. pamiętają; 7. rozumie; 8. gra;
9. nie ma

3. 1. czerwony; 2. pomarańczowy; 3. żółty;
4. zielony; 5. niebieski; 6. granatowy; 7. fioletowy

4. 1. złota; 2. szary; 3. czerwony, biały;
4. czerwone, białe, różowe; 5. pomarańczowy;
6. zielona; 7. czarna, biała; 8. pomarańczowy;
9. czerwona, zielona/żółta; 10. biały, brązowy

5. *ON:* optymista, barszcz, dzień, trójkąt, ryż;
*ONA:* kelnerka, pani, noc, gitara, karta;
*ONO:* mleko, bistro, akwarium, pytanie, kółko

6. 1. Optymista; 2. dobry; 3. chodźmy!;
4. bardzo; 5. nie wiem

# 7

1. *odpowiedzi przykładowe: poniedziałek* | – Czy Karolina pali? | – Tak, Karolina chyba pali. |
– Nie wiem, chyba nie; *wtorek* | – Mami, czy lubisz żółty kolor? | – Nie lubię, bo jest za intensywny. | – Jest interesujący i bardzo modny!; *środa* | – Adam robi ładne origami. | – To origami jest takie sobie. | – Adam jest bardzo utalentowany!; *czwartek* | – Co robi Karol? |
– Karol i Adam są w pokoju. | – Myślę, że

uczą się niemieckiego!; *piątek* | – Rozumiesz wszystko na lekcji polskiego? Rozmawiasz po polsku na przerwie? | – Rozumiem tylko trochę, a Angela i Javier rozmawiają po angielsku. | – Jest świetnie, a grupa jest bardzo sympatyczna i zmotywowana!; *sobota* |
– Jesteś młoda i ładna. Dlaczego siedzisz w domu? | – Jestem niska, brzydka i nieciekawa. Nie lubię tańczyć. | – Jestem trochę chora i zmęczona i dlatego siedzę w domu.; *niedziela* | – Czy nowy kolega z Argentyny jest miły? | – Javier jest bardzo miły, przystojny, inteligentny, atrakcyjny… | – Javier nie jest bardzo interesujący, jest taki sobie.

2. *odpowiedzi przykładowe:* 1. Jesteś pewna?;
2. No nie wiem…; 3. O nie!; 4. Naprawdę?;
5. O matko!; 6. Absolutnie nie masz racji!;
7. Serio?

3. *odpowiedzi przykładowe:* 1. szwedzki; 2. fińska;
3. rosyjska; 4. argentyńskie; 5. szwajcarski;
6. chińska; 7. belgijska; 8. japońskie; 9. francuska; 10. hiszpańskie; 11. grecka; 12. włoskie;
13. egipska; 14. amerykański; 15. brazylijska;
czeskie

# 8

1. 1. N; 2. P; 3. N; 4. P, 5. N; 6. P; 7. N; 8. P; 9. P;
10. P

2. 1. mieszkają; 2. mają; 3. mieszka; 4. ma, grać;
5. rozumieją; 6. rozmawiać; 7. rozumiem;
8. pamiętam; 9. przepraszam; 10. otwiera

3. 1. lubią, robić; 2. pali; 3. lubią; 4. słyszą;
5. robi; 6. wychodzi; 7. leży; 8. mówi; 9. Mówię;
10. myśli

4. 1. wysoki; 2. duże; 3. czysta; 4. pracowity;
5. mała; 6. brudna; 7. średniego; 8. niska;
9. gruby, brzydki; 10. szczupły, wysportowany;
11. leniwy; 12. chory

# 9

1. 1. torba; 2. student; 3. rzeczy; 4. portfel;
5. czysty; 6. Tokio

2. 1. tym monogramem, falsyfikatem;
2. imitacją, autentycznym starym modelem;
3. młody i ambitny policjant; 4. detektywem;
5. klasyczną literaturą kryminalną i sensacyjną;
6. studentem; 7. typowym męskim portfelem;
8. mamą, tatą; 9. monogramem; 10. Luwrem;
11. gumką; 12. mała butelka, wódką;
13. wódką

3. **1.** Anglikiem; **2.** Francuzem; **3.** Hiszpanem; **4.** Portugalczykiem; **5.** Włochem; **6.** Niemcem; **7.** Ukraińcem; **8.** Japończykiem; **9.** Rosjaninem

4. Angielką; Szwedką; Francuzką; Hiszpanką; Argentynką; Portugalką; Brazylijką; Włoszką; Niemką; Ukrainką; Japonką; Rosjanką

# 10

1. **1.** On kończy 60 lat.; **2.** Ona jest lekarką, konkretnie psychiatrą.; **3.** Jego mama jest despotyczna, elegancka, ambitna.; **4.** Jego tata jest spokojny, małomówny, zdrowy, wysportowany.; **5.** Nie, on jest kelnerem.; **6.** On jest florystą.; **7.** On mieszka z mamą i z tatą.; **8.** Oni mają troje dzieci.; **9.** Nie, to jest kot.; **10.** On studiuje prawo i pracuje jako policjant.

2. **1.** rok; **2.** lat; **3.** lat; **4.** lat; **5.** lata; **6.** lata; **7.** lat; **8.** lata; **9.** lat; **10.** lat; **11.** lata, lat; **12.** lat; **13.** lat

3. **1.** lekarką, konkretnie psychiatrą; **2.** despotką i terrorystką; **3.** emerytowaną nauczycielką; **4.** ambitną kobietą; **5.** typową emerytką; **6.** urzędnikiem; **7.** religijną osobą; **8.** prawnikiem; **9.** muzykiem; **10.** kelnerem; **11.** dziennikarzem; **12.** inżynierem; **13.** kucharzem; **14.** aktorem amatorem; **15.** dentystką; **16.** policjantem

4. Amadeusz interesuje się kartami; Zofia sztuką, filmem, językami; Felicjan sportem; Teofil kuchnią; Bogumił kwiatami, tańcem, teatrem; Olga fotografią; Olaf muzyką eksperymentalną; Oliwier literaturą kryminalną

„CZYTAJ krok po kroku" 1
Wydanie pierwsze. Kraków 2018

Autor: **Anna Stelmach**
Redaktor merytoryczny serii: **Iwona Stempek**
Redaktor wydawniczy: **Tomasz Stempek**

Tłumaczenie: **Beata Cygan/Alingua**

Wydawca: **polish-courses.com, ul. Dietla 103, 31-031 Kraków, tel. +48 12 429 40 51, faks +48 12 422 57 76, e-polish.eu, info@e-polish.eu**

Opracowanie graficzne i skład: **Joanna Czyż**
Rysunki: **Małgorzata Mianowska**
Nagrania: **Marcin Ochel** | Czyta: **Michał Chołka**
Fot. A. Stelmach: **Pracownia Fotograficzna Micuda**

Druk: **CGS Drukarnia**/www.cgs.pl

ISBN: 978-83-941178-4-9

↑ Państwo Maj goszczą u siebie przyjeżdżających na kursy polskiego studentów. Są ciekawi świata i otwarci na nowe kontakty. Chcą też, aby ich dzieci dorastały w atmosferze tolerancji i szacunku dla innych kultur. Żałują, że tak rzadko odwiedzają bliskich – ich rodzina jest rozsypana po całej Polsce.

*The Maj family are hosting students coming for Polish courses. They are curious about the world and open to new contacts. They also want their children to grow up in an atmosphere of tolerance and respect for other cultures. Their distant family being scattered throughout Poland, they wish they could visit their loved ones more often.*

↓ Życie rodziny Nowaków koncentruje się wokół seniorów. Babcia Zofia od zawsze rządzi mężem i trzema synami. A może tylko tak myśli? Dziadek Felicjan ma świetną receptę na to, jak żyć 100 lat. Nowakowie mają artystyczne aspiracje, nawet ich kot ma imię z opery Mozarta.

*The life of the Nowak family revolves around the grandparents. Grandmother Zofia has always been 'in charge of' her husband and three sons. Or maybe she only thinks so? Grandfather Felicjan has a great recipe for how to live a hundred years. The Nowak family have artistic aspirations, even their cat's name is a tribute to a Mozart's opera.*